N

CW00408122

»Das ganze, biografisch inspirierte Familiendrama erzählt von den größten Gefühlen, die wir haben: Liebe, Wut, Neid und Trauer.«
Meike Schnitzler, Brigitte

»Helfers ›Bagage‹ beschreibt auf eindrückliche Weise, changierend zwischen fiktiven und autobiografischen Ebenen, wie jeder sein eigenes Päckchen zu tragen hat und es unweigerlich den Nachkommen aufbürdet und sofort.«
Ulrich Rüdenauer, Süddeutsche Zeitung

»Eine berührend archaische Dorfgeschichte aus dem Bregenzerwald. Sprachlich herausragend.«
Marc Reichwein, Die Welt

Monika Helfer, geboren 1947 in Au/Bregenzerwald, lebt als Schriftstellerin mit ihrer Familie in Vorarlberg. Sie hat zahlreiche Romane, Erzählungen und Kinderbücher veröffentlicht. Mit ihrem Roman ›Schau mich an, wenn ich mit dir rede‹ (2017) war sie für den Deutschen Buchpreis nominiert. Für ›Die Bagage‹ erhielt sie den Schubart-Literaturpreis 2021 der Stadt Aalen, zuletzt erschien der Roman ›Vati‹.

Monika Helfer

Die Bagage

Roman

dtv

5. Auflage 2022
2021 dtv Verlagsgesellschaft mbH & Co. KG, München
Lizenzausgabe mit Genehmigung der
Carl Hanser Verlag GmbH & Co. KG, München
© 2020 Carl Hanser Verlag GmbH & Co. KG, München
Umschlaggestaltung: dtv nach einer Vorlage
von Peter-Andreas Hassiepen, München, Umschlagmotiv:
»Kl. Badende« © Gerhard Richter 2021 (11022021)
Satz: C.H.Beck.Media.Solutions, Nördlingen
Satz nach einer Vorlage von Gaby Michel, Hamburg
Druck und Bindung: Druckerei C.H.Beck, Nördlingen
Printed in Germany · ISBN 978-3-423-14801-6

für meine Bagage

Hier, nimm die Stifte, male ein kleines Haus, einen Bach ein Stück unterhalb des Hauses, einen Brunnen, aber male keine Sonne, das Haus liegt nämlich im Schatten! Dahinter der Berg – wie ein aufrechter Stein. Vor dem Haus eine aufrechte Frau, sie hängt die Wäsche an die Leine, die Leine ist schlecht gespannt, geknotet zwischen zwei Kirschbäumen, einer steht rechts von der Veranda zur Haustür, der andere links. Jetzt gerade klammert die Frau eine Strampelhose fest und ein Jäckchen, also hat sie Kinder. Sie wäscht oft, die Sachen der Kinder und die ihres Mannes und ihre Sachen, sie besitzt eine besonders schöne weiße Bluse. Sie möchte, dass ihre Familie sauber ist wie die Familien in der Stadt. Sie hat viele weiße Sachen, da kommen ihre dunklen Haare und dunklen Augen und die dunklen Haare und die dunklen Augen ihres Mannes gut zur Geltung. Die anderen unten im Dorf tragen selten Weiß, manche nicht einmal am Sonntag. Ein ernstes Gesicht hat sie, tiefe Augen. Die Augen male mit Kohlestift! Die Haare liegen eng am Kopf, sie sind schwarz, mit Braun gemischt, weil der Kohlestift abgebrochen ist. Die guten Buntstifte glänzen nicht und sind außerdem teuer.

Die Wirklichkeit weht hinein in das Bild, kalt und ohne Erbarmen, sogar die Seife wird knapp. Die Familie ist arm, gerade zwei Kühe, eine Ziege. Fünf Kinder. Der Mann, schwarzhaarig wie die Frau, lackglänzend seine Haare sogar, ein Schöner ist er, doppelt so schön wie die anderen. Ein schmales Gesicht hat er, aber ohne Freude, wie es scheint. Die Frau, gerade noch dreißig ist sie, sie weiß, dass sie den Männern gefällt, nicht einen kennt sie, bei dem sie nicht sicher ist. Wenn ihr Mann sie an sich zieht, spürt er ihre Brüste und den Bauch, er hat es genau so schon gesagt, ihm wird schwarz vor Augen, und vor Müdigkeit lässt er sich aufs Bett fallen. Sie entkleidet sich hastig, legt sich neben ihn und weiß, er stellt sich nur schlafend, er will nicht versagen. Darum hat sie das dünne Unterhemd angelassen. Damit nicht alles gleich eindeutig ist. Sie schaut durch das offene Fenster hinaus in den Nachthimmel. Nicht einmal der Mond kommt hinter dem Berg hervor. Manchmal zieht er knapp vorbei, dann kann sie den Schimmer oben über dem Kamm sehen. Einmal schreit ein Kind, sie weiß, welches, dann weint ein anderes, sie weiß, welches. Aber ihr gelingt es nicht aufzustehen, müde ist sie nicht, sie denkt, träge bin ich halt. Wie alt werde ich werden, denkt sie.

Das Mädchen, drei Jahre alt, steht vor dem Bett, mitten in der Nacht. Es ist Margarethe. Die Grete. Sie zittert.

»Mama«, flüstert sie.

Die Mama flüstert auch: »Komm!«

Die Kleine kriecht zu ihr unter die Decke. Der Vater soll es nicht wissen. Das Mädchen legt sich nicht zwischen die Eltern, es legt sich an den Rand des Bettes. Es muss festgehalten werden, damit es nicht herausfällt, hinunter auf den Boden, das Bett ist nämlich hoch.

Das Mädchen war meine Mutter, Margarethe, eine Scheue, die jedes Mal, wenn sie auf ihren Vater traf, sich duckte und nach dem Rock der Mutter schaute. Der Vater war liebevoll zu den andern vier Kindern, im Großen und Ganzen war er liebevoll, und er würde es auch zu den zwei später geborenen sein. Nur dieses Mädchen verabscheute er, die Margarethe, die meine Mutter werden wird, weil er dachte, dass sie nicht sein Kind sei. Er hatte keinen Zorn auf sie, keine Wut; er verabscheute sie, er ekelte sich vor ihr, als würde sie nach dem Zudringling riechen ihr Leben lang. Sie schlug er nie. Die anderen Kinder manchmal. Die Grete nie. Er wollte sie nicht einmal im Schlagen berühren. Er tat, als gäbe es sie nicht. Er habe bis zu seinem Tod nie ein Wort mit ihr gesprochen. Und es sei ihr nicht bewusst, dass er sie jemals angeschaut hätte. Das hat mir meine Mutter erzählt, da war ich erst acht. Mein Großvater wollte mit der Scheuen nichts zu tun haben. Für meine Großmutter war das der Grund, die Scheue mehr als die anderen Kinder zu herzen und auch mehr als die anderen zu mögen. Maria hieß meine schöne Großmutter, der alle Männer nachgestiegen wären, wenn nicht alle Männer Angst vor ihrem Mann gehabt hätten.

Aber ich greife vor. Diese Geschichte beginnt nämlich, als meine Mutter noch nicht geboren war. Die Geschichte beginnt, als sie noch gar nicht gezeugt war. Sie beginnt an einem Nachmittag, als Maria wieder einmal die Wäsche an die Leine klammerte. Es war im frühen September 1914. Da sah sie den Postboten unten am Weg. Sie sah ihn schon von Weitem.

Vom Hof aus hatte man Blick ins Tal hinunter bis zum Kirchturm, der über die Linden hinaufragte. Der Postbote schob das Fahrrad, weil es steil aufwärtsging zu dem kleinen Haus, und der Weg war nach der Abzweigung nur noch grob geschottert. Der Mann war erschöpft, er wollte Adjunkt genannt werden, Postadjunkt war die offizielle Bezeichnung für seinen Beruf, er trug eine Uniform mit glänzenden Knöpfen, er schwitzte, hatte die Krawatte gelockert, den Kragen geöffnet. Er nahm die Kappe ab, nur kurz, zum Gruß und zum Lüften. Maria trat einen Schritt zurück, als er ihr den Brief entgegenhielt. Es war ein blauer Brief mit einem losen Abschnitt vorne drauf, den man abreißen sollte. Dieser Abschnitt musste unterschrieben und zurückgesandt werden an den Absender. Der Staat war der Absender, der wollte einen Beweis in Händen halten. Der Adjunkt wusste, dass sie wusste, dass sie ihm gefiel und noch mehr. Auch wusste er, dass er ihr gleichgültig war. Er war nicht halb so fesch wie Josef, ihr Mann, mit dem finsteren Blick, wenn fesches Aussehen überhaupt halbiert oder verdoppelt werden konnte.

Der Adjunkt missbilligte, wie die Männer im Dorf über Josef und Maria redeten. Kinder seien kein Beweis für gar nichts, auf jeden Fall nicht dafür, ob es einer gut könne oder eben nur könne, auch vier Kinder würden rein gar nichts sagen. Eine Frau kann auch Kinder kriegen, wenn ihr der Mann nicht behagt, das ist Natur, und die Natur hat mit Liebe nichts zu tun, und nur weil man zufällig Josef und Maria heiße, heiße das schon überhaupt gar nichts, eher im Gegenteil. So hätten es die Männer gern gehabt. Dann, so dachten sie nämlich, hätten sie selber eventuell einen Stich bei der schönen Maria. Man sah diese beiden Eheleute auch so gut wie nie zusammen ins Dorf kommen, daraus zogen die Männer abermals ihre Schlüsse und sahen darin einen weiteren Beleg. Und wenn man sie sehe, seien sie nicht fröhlich zueinander, nicht einander zugewandt, der Josef so gut wie immer ernst und die Maria meistens auch, als kämen sie gerade von einem Streit.

Aber die Männer hatten keine Ahnung. Maria lag nämlich gern mit Josef eng umschlungen, sie hatte Temperament. Und ihr Mann manchmal auch. Zwischen den beiden war es bei Weitem nicht so, dass sie das Licht ausbliesen, wenn sie beieinanderlagen. Bei Weitem nicht. Und wenn sie das Licht ausgeblasen hatten, kam es vor, dass sie noch lange miteinander sprachen.

Der Adjunkt stellte nur einmal in der Woche so weit draußen zu, weil es ja auch so weit oben war und mühsam. Und selten war Maria allein, und selten war sie vor dem Haus, oft hatte er schon an die Tür geklopft, und niemand hatte ihm aufgemacht. Und wegen nix und wieder nix diesen Weg? Am liebsten wäre es ihm gewesen, die Leute, die hier draußen und oben verstreut lebten, hätten Freunde unten im Dorf, wenigstens einen, dem sie vertrauten, bei dem er die Briefe hätte abgeben können, und sie hätten sie dann selber geholt. Ein Brief vom Staat allerdings musste persönlich entgegengenommen werden. Wenigstens anschauen kann ich sie heute, dachte sich der Adjunkt.

Was alles zum Dorf gehörte, war weit, bis zum weitesten Hof war eine gute Stunde Weg ab der Kirche. Sechs Höfe lagen an den Rändern, dahinter begann der Berg. Die an seinem Fuß in seinem Schatten wohnten, waren mit keinem im Dorf unten gut, und untereinander waren sie auch nicht gut. Nicht gut sein bedeutete nicht wissen wollen, wie es dem anderen geht, mehr bedeutete es nicht. Sie wohnten dort, weil ihre Vorfahren später gekommen waren als die anderen und der Boden am billigsten war, und am billigsten war der Boden, weil die Arbeit auf ihm so hart war. Am letzten Ende hinten oben wohnten Maria und Josef mit ihrer Familie. Man nannte sie »die Bagage«. Das stand damals noch lange Zeit für »das Aufgeladene«, weil der Vater und der Großvater von Josef Träger gewesen waren, das waren die, die niemandem gehörten, die kein festes Dach über dem Kopf hatten, die von einem Hof zum anderen zogen und um Arbeit fragten und im Sommer übermannshohe Heuballen in die Scheunen der Bauern trugen, das war der unterste aller Berufe, unter dem des Knechtes.

Der Brief kam vom Militär. Es war der Stellungsbefehl. Österreich hatte Serbien den Krieg erklärt, und Russland war Serbien beigesprungen, und der deutsche Kaiser war Österreich beigesprungen und hatte Russland den Krieg erklärt, und Frankreich war Russland beigesprungen und hatte Deutschland und Österreich den Krieg erklärt, und Deutschland war in Belgien einmarschiert.

Der Postbote hielt immer noch den blauen Brief in der Hand. Für sich allein träumte er, dass er ihr beistehe; irgendetwas geschehe und er stehe Maria bei und sie erkenne dann endlich, was er in Wirklichkeit für einer war. Gern hätte er sie von ihrem Ehemann befreit, er bildete sich ein, dass sie unter ihm leide, und er bildete sich ein, dass er selbst einer sei, der viel zarte Zuneigung zeigen könnte, wenn es darauf ankäme, und das nicht nur für kurz, für eine Nacht oder so, sondern bis der Tod einen scheidet. Keine roten Flecken waren in ihrem Gesicht und keine an ihrem Hals. Er sah kein Fältchen, nicht zwischen den Augen aufwärts in die Stirn, nicht neben dem Mund und nicht von den Augenwinkeln hinüber zu den Schläfen. Ihre Hände waren rau, aber nur innen. Oben waren sie wie vergoldet. Ihr Mann war oft unterwegs. Er hatte Geschäftchen. Was für welche, wusste der Adjunkt nicht, und

Maria wusste es auch nicht. Im Dorf wurde vermutet, es seien schräge und krumme Geschäftchen. Josef hatte den Ruf, sofort zuzuschlagen. Aber damit beruhigten sich die Männer nur selber, damit rechtfertigten sie vor sich selber ihre Feigheit. Dass es keiner von ihnen bisher gewagt hatte, die Maria direkt anzugehen. Eben, weil der Josef einer sei, der sofort und brutal zuschlage. Zuschlagen gesehen hatte ihn allerdings noch keiner.

Der Brief sei vom Militär, sagte der Adjunkt, Maria müsse den Erhalt bestätigen mit Unterschrift. In Klammer solle sie »Ehefrau« schreiben. Er habe einen Tintenblei dabei, das sei zulässig. Er selber leckte den Stift an.

Maria wusste, dass Krieg war, aber dass er je mit ihnen zu tun haben würde, dass man ihn hören würde bis hinein und hinauf ins hinterste Tal in den Schatten unter dem Berg, das war ihr bisher nicht in den Sinn gekommen. Was genau und bis ins Einzelne in dem gedruckten Brief stand, hätte sie nicht nacherzählen können, so viel aber schon: Josef Moosbrugger musste in den Krieg.

Der Bürgermeister hieß Gottlieb Fink, und er machte auch Geschäftchen. Er war der Einzige, mit dem Josef über das Notwendigste hinaus redete. Länger redete als: Ja, Nein, Servus und wieder Ja, Nein. Manchmal war Josef vom Berg heruntergekommen und direkt auf das Haus vom Bürgermeister zugegangen und war eingetreten, ohne zu klopfen oder zu rufen, und war eine gute Stunde im Haus geblieben. Aber die beiden waren keine Freunde. Der Bürgermeister wäre schon gern der Freund vom Josef Moosbrugger gewesen. Der war der Einzige, mit dem man reden konnte, er hatte erstens keine

Krankheiten und stank zweitens nicht wie ein Tier und war drittens kein Idiot, er konnte lesen und schreiben und mehr als nur gut rechnen. Leg ihm die schwierigsten Multiplikationen vor, er verdreht einmal die Augen, und schon hat er sie heraus. Der Bürgermeister war großzügig. Bei den Geschäftchen teilte er immer, auch dann, wenn Josef kaum beteiligt war. Immer halbe-halbe. Josef war nicht so großzügig. Aber das kreidete ihm der Bürgermeister nicht an. Der Bürgermeister hatte Kühe, Schweine, Hühner und ein paar Ziegen, das hatten alle, zudem aber war an sein Haus eine Werkstatt angebaut. Er war gelernter Büchsenmacher. Früher hatte er die Gewehrläufe noch selber gedreht und gefräst und die Kolben selber ausgesägt und zurechtgeschnitzt und geölt und poliert. Inzwischen bezog er die Einzelteile aus dem süddeutschen Raum und setzte sie lediglich zusammen. Das kam billiger und brachte mehr. Er nagelte seine Punze darauf, der Stutzen war dann ein echter Fink, und Fink-Stutzen hatten immer noch einen Ruf, als wäre an ihnen alles selber und alles von der Hand gemacht. Dem Josef hatte der Bürgermeister ein Gewehr geschenkt, ein doppelläufiges sogar. Das war mehr als großzügig. Darüber wunderte sich jeder. Das sagte alles, obwohl keiner genau wusste, was es sagte. Dafür hätte ein Schreiner länger als ein halbes Jahr arbeiten müssen. Vielleicht war Josef ja tatsächlich sein Freund. Nur weil er so tat, als hätte er einen Freund nicht nötig, hieß das noch lange nicht, dass er wirklich keinen nötig hatte.

Als der Stellungsbefehl eingetroffen war, hatte Josef einen Freund nötig. Der Bürgermeister war nicht eingezogen worden, Begründung: Er werde zu Hause gebraucht. Das stimmte: Josef zum Beispiel brauchte ihn.

Josef liebte seine Frau. Er selber hat dieses Wort nie gesagt. Es gab dieses Wort in der Mundart nicht. Es war nicht möglich, in der Mundart *Ich liebe dich* zu sagen. Deshalb hatte er dieses Wort auch nie gedacht. Maria gehörte ihm. Und er wollte, dass sie ihm gehörte und dass sie zu ihm gehörte, Ersteres meinte das Bett, Letzteres die Familie. Wenn er durchs Dorf ging und die Männer beim Brunnen sah, die mit hölzernen Messern spielten, die sie sich selber geschnitzt hatten, und wenn er sah, dass sie ihn sahen, dann las er in ihren Blicken: Du bist der Mann von der Maria. Keiner von denen hatte nicht schon gedacht, wie es mit ihr wäre. Und jetzt, nachdem er den Stellungsbefehl erhalten hatte, meinten sie, es tun sich Chancen auf. Mittelgroße Chancen, weil niemand genau wusste, wie lange der Krieg dauerte; auch wenn man von Wien her und Berlin her hörte, die Sache werde bald zu Ende sein, darauf wetten wollte keiner.

Josef ging zum Bürgermeister und sagte: »Könntest du auf die Maria aufpassen, wenn ich im Feld bin?«

Der Bürgermeister wusste, wie *Aufpassen* in diesem Fall geschrieben wird. In erster Linie, so dachte er, meint der Josef doch, er kann seiner Frau nicht trauen. Kann sie sich selber trauen? Das war die Frage! Sie sieht sich ja jeden Morgen im Spiegel.

Bei dem Gespräch war sonst niemand dabei. Ein delikates Gespräch, das keine Zeugen wollte. Wie könnte der Bürgermeister dem Mann meiner Großmutter antworten? Würde er sich trauen zu sagen: »Du meinst, ich soll zuschauen, dass keiner zu ihr hinaufgeht, wenn du weg bist?«

Und Josef? Sagt er: »Ja, das meine ich.« Dann würde er zugeben, dass er seiner Frau nicht vertraut.

Josef sagte: »Ja, es wäre mir recht, wenn du zuschaust, dass keiner zu ihr hinaufgeht.«

»Und warum?«, könnte der Bürgermeister fragen. Damit aber würde er Josef kränken. Das will er nicht. Ist damit zu rechnen, dass einer der Männer aus dem Dorf oder von sonst woher der schönen Maria Gewalt antun könnte? Dass in so einem Fall der Bürgermeister einschreiten würde? Und was würde das bedeuten? Dass er denjenigen erschießt?

Der Bürgermeister sagte: »Ich werde mich um sie kümmern. Mach dir im Krieg keine Sorgen, Josef.«

Kann es sein, dass eine so schöne Frau nur für einen Mann gemacht ist? Der Bürgermeister glaubte, dass Maria treu war nur wegen der Angst, die sie vor ihrem Mann hatte, und nicht wegen mangelndem Interesse an anderen. Man brauchte auch kein großes Trara darum zu machen, wenn sich der eine oder andere ausrechnete, dass der Josef fällt, so ist der Mensch. Das hätte der Bürgermeister zum Josef natürlich nicht gesagt. Eben, weil er ihn zum Freund behalten wollte. Er war der Bürgermeister, und er wünschte sich, dass nicht einer aus seinem Dorf fehlte, wenn dieser Krieg fertig war. Außerdem meinte er, es macht sich gut, einen gutaussehenden Freund zu haben, und die Frau Bürgermeister meinte das auch, sie meinte, der Josef schmückt ihn. Der Josef gefiel ihr nämlich außerordentlich gut. Weil sie selber so offen sagte, sie würde den Josef gern einmal nackt sehen, am liebsten allein draußen im Wald, war klar, dass diesbezüglich keine Gefahr bestand, sonst hätte sie den Mund gehalten. Auf meine Frau, dachte der Bürgermeister, bräuchte keiner aufzupassen und würde auch keiner aufpassen müssen, wenn ich eingezogen würde. Der Bürgermeister war gern verheiratet. Er und seine

16

Frau galten als die lustigsten Leute nicht nur in dem kleinen Dorf, sondern durchs ganze Tal hinaus bis nach Bregenz. Und das lag hauptsächlich an ihr. Sie konnte lachen, da lachte sogar der Josef mit, schon wenn sie dazu ansetzte und er noch gar nicht wusste, was kommen wird.

»Dass sie herunterzieht zu uns mit allen Kindern«, sagte der Bürgermeister, »das geht leider nicht, wäre aber sicher am besten.«

»Das ist nicht nötig«, sagte Josef. »Es reicht, dass du die Augen offen hältst. Angeblich ist bis in den Oktober hinein alles vorbei. Dann bin ich eh wieder da.«

»Und Fronturlaub gibt es ja auch«, sagte der Bürgermeister.

»Wenn das Ganze so kurz wird, wie es heißt, dann wird sich ein Fronturlaub gar nicht ausgehen«, sagte Josef. So haben alle gedacht. Für Josef würden sich sogar zwei Fronturlaube ausgehen.

Nachdem sich Josef von seiner Frau in den Krieg verabschiedet hatte, mit einer Umarmung und einem leichten Kuss, er war schon auf dem Weg, sackte beim Abwärtsgehen lässig in die Knie, wie es seine Art war, da lief sie ihm nach und zog ihn ins Haus zurück und hinein ins Schlafzimmer, öffnete seinen Gürtel und schmiegte sich an ihn.

»Warum machst du so ein Gesicht?«, fragte sie.

»Ich habe Zahnweh«, sagte er.

»Aber das wird doch nur schlimmer«, sagte sie.

»Im Feld gibt es Zahnärzte«, sagte Josef. »Angeblich viel bessere als in Bregenz.«

»Woher weißt du das?«

Er stand vom Bett auf und hielt sie sich vom Leib. Sie solle aufhören zu fragen, das kenne er. Sie finde dann kein Ende und er komme zu spät.

Gar nicht viele Männer aus dem Dorf sind Anfang September eingezogen worden. Warum mein Großvater bei den ersten dabei war, darauf weiß ich keine Antwort. Nur zu viert waren sie, einer hieß Franz, wie der Kaiser, einer Ludwig, einer Alois und eben Josef. Bis ins übernächste Dorf sollten sie zu Fuß gehen, dort würden sie von den Lastwagen abgeholt und zum Bahnhof in Bregenz gebracht, und dann ab ins Feld, wo und wie immer das auch sein mochte. Am Ende ist von den vieren nur einer nicht im Feld geblieben, Josef. Alois war bereits eine Woche später tot. Ludwig starb nach einem knappen halben Jahr in einem Lazarett. Franz fiel nach einem Jahr am Valparolapass. Fünf weitere Burschen folgten, von denen kamen nur zwei zurück.

Nun hatten sich die vier Männer Blumen auf die Hüte gesteckt und hatten sich im Stehen einen Dampf angetrunken. Der Bürgermeister als der Vertreter des Kaisers spendierte Schnaps und gab einen Schuss in die Luft ab. Ein Haufen Kinder begleitete die Spielbuben, wie die Einberufenen genannt wurden. Aber nur bis zum nächsten Dorf marschierten sie mit, dann kehrten sie um. Von dort weg gingen die zukünftigen Soldaten allein weiter bis nach L., nicht im Marschschritt, und sie sangen auch nicht mehr und waren wieder einigermaßen nüchtern. Sie redeten über Dinge, die erledigt werden mussten und die sie bald erledigen wollten, als würden sie in wenigen Tagen oder Wochen wieder daheim sein. Die Blumen zupften sie sich vom Hut und warfen sie neben den Weg. Jetzt, wo keiner der Eigenen sie sah, warum noch?

Der Zweitgrößte vom Josef war auch mitgegangen bis ins nächste Dorf, Lorenz, der Eigensinnige, gerade neun Jahre alt. Er war gescheit, in der Schule brachte er den Lehrer mit seinem Kopfrechnen zum Staunen und zum Jubilieren, diese Gabe hatte er vom Vater geerbt. Das Leben in den Bergen gefiel ihm schon jetzt nicht mehr. Ein Bauer wollte er nicht werden. Allein, dass er sich überlegte, was aus ihm einmal werden könnte, unterschied ihn von allen anderen Buben im Dorf. Er interessierte sich für Motoren, und von denen gab es in dem Tal, das einfach nur *der Wald* genannt wurde, nicht viele, und es waren immer die gleichen. Der Vater hatte ihm auf die Schulter geklopft, mehr nicht, das war sein Abschied. Daheim musste Lorenz nach den Tieren schauen, die zwei Kühe, die Ziege. Und einen Hund gab es. Zu dem sagten sie »Wolf«. Der Vater hatte ihn gut abgerichtet. Er brauchte nicht angekettet zu werden. Der Vater hatte mit Steinen eine Linie um das Haus gelegt, über diese Linie ging der Hund nicht hinaus, da konnte geschehen, was wollte. Der Postadjunkt fürchtete sich trotzdem vor ihm. Wenn Maria den Briefboten kommen sah, tat sie den Hund ins Haus. Lorenz hätte das nicht getan. Er mochte den Hund gern, er gehörte zur Familie, man schickt nicht ein Mitglied der Familie ins Haus, wenn einer kommt, der nicht zur Familie gehört. Dann gab es noch eine Katze, der warf man hin, was übrig war, und wenn nichts übrig war, musste sie selber schauen.

Lorenz trieb die Kühe hinaus auf die Wiese, es war schon viel zu spät dafür, aber der Tag hatte ja nicht gewöhnlich begonnen. Bevor der Vater aufgebrochen war, hatte Heinrich, der Älteste vom Josef und der Maria, die Kühe und die Ziege gemolken. Dann hatte sich der Vater lange und ausgiebig und mit viel Seife am Brunnen gewaschen, auch die Haare. Die Mama hatte die Kinder ins Haus geholt, sie wollte nicht, dass sie den Vater nackt sehen. Die Ziege blieb über Nacht und Tag im Gatter. Lorenz gab ihr ein Fuder Heu und schaute dabei in die Querbalken ihrer Augen. Und dachte, was er immer dachte, wenn er vor der Ziege stand: Warum haben nicht alle die gleichen Augen? Die Katze hat senkrechte Schlitze, die Ziege Querbalken, die Menschen kreisrunde Löcher.

Was hätte aus ihm werden können, aus meinem Onkel Lorenz, wenn er nicht einer von der Bagage gewesen wäre! Was hätte aus seinen Geschwistern werden können?

»Krieg ist normal«, sagte er einmal zu mir. Es gab keinen erkennbaren Zusammenhang zu dem Gespräch, das er gerade führte und an dem ich mich ohnehin nicht beteiligt hatte. Wenn sich mein Onkel Lorenz mit meinem Vater unterhielt, war ich stumm wie der Schirm, der an der Rückenlehne des Stuhls hing, auf dem er saß.

»Was meinst du damit?«, fragte ich, nachdem ich mir den Hals freigeräuspert hatte. Es war seine Art, mich entweder zu ignorieren oder sich plötzlich an mich zu wenden und mir seinen Zeigefinger aufs Brustbein zu drücken. Der Onkel mit Charisma. Das ist gut und nicht gut in einem, und zwar gleichzeitig.

Er antwortete. »Warum, Mädchen, sollte ich etwas sagen und etwas anderes damit meinen? Ich meine, was ich sage: Krieg ist normal.« Hatte er vergessen, wie ich heiße?

Wenn er uns besuchte, konnte ich nicht ruhig sein. Ich war immer gefasst. Auf irgendetwas. Im Zweiten Krieg war er in Russland gewesen, zu Hause hatte er eine Frau, und dann hatte er in Russland auch eine Frau und ein Kind, die aber hat er verlassen und hatte sich auf den weiten Weg gemacht, zurück zu seiner Frau in unserem Land, manchmal habe ihn ein Militärfahrzeug mitgenommen, manchmal sei er, ohne zu zahlen, mit der Eisenbahn gefahren, auch auf einem Motorrad sei er hintendrauf gesessen, die meiste Zeit aber sei er gegangen. Er hat uns oft besucht, als ich ein Kind war. Mit meinem Vater hat er Schach gespielt. Er hasste die Idiotie des Landlebens. Darüber redeten mein Vater und er – mein Vater hatte für die Bauern auch nichts übrig, schließlich war er als Sohn einer Magd im Lungau geboren, und sein Vater, der Wohlhabende, hatte sich nie um ihn gekümmert. Onkel Lorenz hatte in unserem Land drei Kinder, seine Söhne hielt er für Nichtsnutze, und das, noch bevor sie etwas Nützliches hätten werden können, und dann wurden sie auch nichts, einer hat sich an einem Baum erhängt. Offen hat Onkel Lorenz zugegeben, dass in Russland eine zweite Familie lebt. Er war fünfzig Jahre alt, als ihn ein betrunkener Autofahrer auf der Rheinbrücke in Bregenz totgefahren hat. Sein Hund lag neben ihm und jaulte. Ich habe meinen Sohn nach ihm benannt: »So bin ich aber nicht, und so will ich auch nicht sein«, sagte er.

Heinrich half der Mutter am meisten. Als die Geschichte spielte, war er elf, zwei Jahre älter als sein Bruder Lorenz. Er war ein Stiller, der nie etwas anderes werden wollte als ein Bauer. Seine Mama sagte oft zu ihm: »Du bist ja erwachsener als ich! Mach wenigstens einmal einen Blödsinn, Heinrich!« Aber er machte keinen Blödsinn. So sehr wollte er ein Bauer werden, dass er gar nie darüber nachdachte, ob etwas anderes für ihn nicht vielleicht auch in Frage käme. Das ging ihm auf die Nerven, wenn Lorenz bei jedem Dreck sich überlegte, ob der nicht auch anders sein könnte. Rechnen tat er bis an sein Lebensende mit den Fingern.

Die Mutter, das hatte der Vater gesagt, am Abend bevor er in den Krieg zog, die Mutter soll nur im Haus arbeiten, die Landwirtschaft besorgen der Heinrich und der Lorenz. Katharina, sie war zehn, half der Mutter bei der Wäsche und in der Küche. Walter war noch zu nichts zu gebrauchen, er spielte mit dem Holzkreisel, den ihm Heinrich geschnitzt hatte, aber er brachte ihn nie richtig zum Wirbeln.

Zu Katharina sagte ich Tante Kathe. Als sie starb, war sie fast hundert. Sie färbte sich die Haare schwarz. Sie war schlank und ging sehr gerade bis zum Ende. Sie hatte gerade Schultern, und wer sie von hinten gehen sah, auch noch mit achtzig, hätte meinen können, die da ist höchstens vierzig, und wie sie geht, ist sie eine, die am Leben interessiert ist. Wer sie von vorne sah, hätte meinen können, sie sei eine Indianerin wie auf den Bildern. Wer sie von vorne sah, für den war die Welt ein alter Film in Schwarzweiß, ein Western, jede Falte eine harte Kante. Sie hatte eine lange Hakennase und einen Mund, der immer aussah, als wollte er sagen, ihr könnt mir den Buckel runterrutschen. Sie hat meine Schwestern gerngehabt, besonders die große, weil sie wie unsichtbar war und ohne Tadel. Ich sei ihr zu wild, sagte sie, sie könne mich nicht. Ich fragte sie, was sie damit meine, was könne sie mich nicht. Sie ruckte mit ihrer Handkante durch die Luft, das war alles. Sie schickte mich im Spätsommer, wenn es eindunkelte, mit ihrem Sohn zum Äpfelholen. Wir sollten uns in den Garten eines bestimmten Nachbarn schleichen und am Gravensteiner rütteln und zwei Rucksäcke mit Äpfeln vollpacken, und dann ab. Ich hatte dabei immer ein schlechtes Gewissen, als hätte ich – ich! – meine Tante Kathe dazu angestiftet und ihren Sohn noch dazu, der mich immer so ansah, als ob ich von Gaunern abstammte.

Und mein Onkel Walter? Er ist im Bodensee ertrunken, da war er zweiundvierzig. Er war ein Rotschopf, er und meine Mutter als Einzige aus der Bagage nicht schwarz, und ein pockennarbiges Gesicht hatte er und einen hohen Kopf und einen Oberkörper, wie von einem Bildhauer in Marmor gemeißelt. Er ist jeder Frau hinterher, und die Frauen haben es angeblich gerngehabt. Er hatte neben seiner dicken Gattin mit den fünf Kindern eine zweite Frau, die ging auf den Strich. Seine angetraute Frau wiederum ging mit einem Vertreter für Haushaltsgeräte ins Bett. Irgendwann war ihm die Geliebte zu anspruchsvoll, und er übergab sie seinem jüngsten Bruder. Und dann ist er ertrunken. Als sein Vater in den Krieg zog, war Walter gerade erst fünf geworden.

Es war Anfang September und noch sehr heiß, Lorenz zog sein Hemd aus und band es sich um den Hosenbund. Sein Gesicht war ernst wie das seines Vaters, sogar ein bisschen grimmig war es schon. Der Hund wartete vor dem Haus, immer wieder setzte er eine Pfote auf die Grenze, die ihm gezogen worden war. Noch nie hatte er von sich aus die Steinreihe überschritten. Er trippelte und quietschte in hohen Tönen. Lorenz legte die Hand auf seinen Kopf.

»Wolf«, sagte er. »Gleich gehen wir los.«

Maria war im Haus, im Schafzimmer lag sie. Das war nicht viel größer als das Doppelbett. Ein Kasten hatte noch Platz. Die Tür stand einen Spalt weit offen. Lorenz sah seine Mutter auf dem Bauch liegen, den Kopf auf einem Arm. Er schlich in den Flur und stieg über die Leiter in den Dachboden. Neben einen der Dachsparren hatte der Vater einen schmalen Verschlag genagelt, der war als Versteck nicht zu erkennen. Dort war das Gewehr. Das Geschenk vom Gottlieb Fink. Und Munition war auch dort. Jetzt, dachte Lorenz, jetzt kriegt der Vater ein Gewehr vom Kaiser, und dieses hier, der Fink-Stutzen, der gehört jetzt mir. Bis der Vater aus dem Krieg zurückkommt, gehört er mir. Er steckte eine Schachtel mit Patronen in den Hosensack, wickelte das Gewehr in sein Hemd und stieg über die Leiter nach unten. Er lief aus dem Haus, rief dem Hund zu: »Komm, Wolf!« Die beiden rannten über den Abhang, am Brunnen vorbei, über den Weg, den Bach überquerten sie, indem sie von Stein zu Stein sprangen, auf der anderen Seite des schmalen Tals verschwanden sie hinauf im Wald.

Lorenz kannte eine gute Stelle. Eine Senke, die von keiner Seite eingesehen werden konnte. Vielleicht würde die Mutter das Knallen hören. Lorenz meinte, es würde sie nicht kümmern. Manchmal waren Jäger unterwegs im Wald. Im Dorf unten würde niemand etwas hören. Auf eine Moosbank reihte er faustgroße Steine, in einem Abstand von zwanzig Schritten legte er sich in den Farn, das Gewehr im Anschlag, und schoss. Wie man den Rückschlag auffing, ohne dass es allzu sehr wehtat, hatte ihm der Vater gezeigt. Nur ihn, Lorenz, hatte der Vater zum Schießen mitgenommen. Nicht den Heinrich, den Älteren. Lorenz wusste, warum. Der Heinrich hatte die Tiere zu gern. Aus ihm würde nie ein Jäger werden. Der Hund sprang beim ersten Schuss auf. Lorenz musste ihn beruhigen. Er schlang seinen Arm um ihn, drückte den Kopf zu seinem nieder. Auf diese Entfernung traf er jedes

Mal. Er schoss die Patronenschachtel leer. Fünfundzwanzig Schuss. Der Abzug war hart eingestellt. Der Finger tat ihm weh. Das machte ihn glücklich.

Sobald sich Josef von Maria verabschiedet hatte, war sie aufs Bett gefallen und hatte die Augen zugemacht. Walter legte sich auf ihren Bauch. Obwohl er doch schon zu groß und zu schwer war. Er war ein freundliches Kind. Auch zum Hund legte er sich gern in die Hütte. Der Hund war scharf wie alle Hunde hier draußen, aber Walter durfte mit ihm machen, was er wollte, und wehe, jemand, der nicht zur Familie gehörte, hätte den Walter angefasst. Er knurrte auch, wenn ihn einer aus der Familie anfasste.

Katharina strickte, das hatte ihr die Mutter beigebracht, sie war geschickt, aus der roten Wolle sollte ein Schal werden. Für den Papa. Sie solle sich beeilen, damit sie fertig ist, wenn auch der Krieg fertig ist. Die Mutter hatte Bilder von Soldaten gesehen, die blauen Uniformen hatten ihr gefallen, die machten auch aus einem unscheinbaren Mann einen stattlichen. Sie konnte sich nichts anderes denken, als dass Josef in Uniform nach Hause komme, und zu Blau passte Rot gut.

Die Mutter war müde und gönnte sich die Müdigkeit, jetzt wo der Vater außer Haus war, sonst hätte sie sich am Tag nie aufs Bett gelegt. Es gab wenig zu essen. Der Bürgermeister, der am meisten besaß, würde sie jede Woche einmal mit Essen versorgen, solange der Vater weg war. Das war so ausgemacht. Dafür würde ihm Josef die Buchhaltung frisieren, wenn er wieder zurück war. Die Kinder mochten den lustigen Bürgermeister, er wirbelte Katharina in die Luft, obwohl sie ja fast gar kein Kind mehr war, tat vor Walter wie ein Löwe. Dem Lorenz gegenüber war er zurückhaltend, der war seinem Vater zu ähnlich, das irritierte den Bürgermeister.

Schon am selben Tag, an dem Josef und die drei anderen in den Krieg gezogen waren, kam der Bürgermeister zu Maria ins Haus. Er brachte Kartoffeln, Zwiebeln und Äpfel mit. Er hatte einen Karren beladen, und einer aus dem Dorf hatte den gezogen, den schickte er oben gleich zurück. Er selber war auf dem Pferd geritten. Kirschen hatten die oben selber welche, und die besten obendrein. Josef hatte zu Maria gesagt, sie solle dem Bürgermeister einen Sack voll Kirschen geben, weil er die so gern habe.

Der Bürgermeister setzte sich zu Maria in die Küche, Walter versorgte sein Pferd, Lorenz half ihm dabei – so drückte sich Lorenz aus, um seinem kleinen Bruder eine Freude zu machen. Die Fensterläden waren wegen der heißen Sonne geschlossen. Geschirr stand noch im Spülbecken. Maria war barfuß, die Haare hatte sie zu einem Knoten gebunden.

Er werde am Wochenende nach L. zum Viehmarkt fahren, sagte der Bürgermeister. Er wolle sich nach einem Stier umschauen. Durch den Krieg seien die Preise günstig. Aber niemand könne sagen, wie lange noch. Im Krieg gelten keine Regeln mehr. Auch dort nicht, wo nicht geschossen wird. Im Wald, das könne er garantieren, werde nie geschossen. Aber die Preise seien auch hier Kriegspreise. Er meine, sagte der Bürgermeister, es wäre klug, jetzt einen Stier für das Dorf zu kaufen. Jeder zahlt einen entsprechenden Beitrag, und jeder hat etwas davon. Wo man ihn letztendlich unterstellt, das werde man sehen. Er wette, Josef, wenn er hier wäre, würde das Gleiche sagen. Ob sie, Maria, nicht mit ihm nach L. fahren wolle. Er wisse ja, dass ihre Schwester dort wohne. Die könne sie besuchen. Und beim Viehmarkt sei immer auch ein bisschen Jahrmarkt. Auch wenn man dort vielleicht nur wenig kaufen könne, viel anschauen könne man auf jeden Fall. Es würde ihr guttun.

»Da müsste ich die Kinder mitnehmen«, sagte Maria, »das wird nicht gehen.«

Die Kinder könnten bei seiner Frau bleiben, sagte der Bürgermeister, sie habe ja nichts lieber als Kinder, wo sie es doch zu keinen eigenen gebracht habe, aber auch nicht zu einem einzigen.

»Wenn ich ehrlich sein will, Maria«, sagte er, »ich habe bereits mit ihr geredet.« Eben, weil er vorausgesetzt habe, dass sie mitgeht.

Maria wollte es sich überlegen.

Sie solle, wenn sie wolle, am Donnerstag um halb sechs in der Früh mit den Kindern zu ihnen kommen. Wenn sie wolle. Gezwungen werde niemand.

Das waren noch drei Tage. In Wahrheit freute sich Maria sehr. Musik würde dort sein, Süßigkeiten würde es geben und Leute zum Anschauen und zum Belauschen. Das tat sie so gern. Auch auf die Schwester freute sie sich. Nicht so sehr wie auf die Marktstände und die Musik. Wahrscheinlich würde eine Blaskapelle spielen. Andererseits hatte sie gehört, die Blaskapellen seien alle in den Krieg eingezogen worden. Wieder andererseits konnte sie sich nicht vorstellen, dass im Krieg so viel Wert auf Musik gelegt wurde.

Lorenz war zornig, als ihm die Mutter erklärte, die Bürgermeisterin wolle auf Walter aufpassen und die anderen könnten auch mitkommen.

»Kommt gar nicht in Frage«, sagte er, »wir passen selber auf unseren Bruder auf, der Heinrich und ich und Katharina, außerdem braucht der Walter keine Kindsmagd.« Er brachte gefinkelt seine Einwände gegen den Viehmarkt vor, »du als Frau, was willst du da, Geld hast du nicht«, das sei der größte Blödsinn, und warum sie überhaupt dahin wolle.

»Schnell, halt den Mund«, sagte die Mutter. »Du bist erst neun und hast mir gar nichts zu verbieten!« Sie sah in Lorenz ihren Mann und ärgerte sich darüber.

»Darf ich wenigstens den Wolf mitnehmen zum Bürgermeister?«, fragte Lorenz. Nun war er kleinlaut, und Maria tat es leid, dass sie ihn so angefahren hatte.

»Das geht nicht«, sagte sie. »Er hat doch Angst vor ihm.«

»Aber er ist gar nicht da, er fährt mit dir nach draußen.«

»Trotzdem.«

»Der Wolf kennt sich nicht aus, wenn er allein ist.«

»Ein Tier kennt sich immer aus.«

»Wieso kann ich nicht mit dem Wolf hierbleiben?«

»So halt nicht.«

Am Ende gab sie nach. Lorenz durfte im Haus bleiben. Mit dem Hund. Walter maunzte. Katharina und Heinrich war es recht. Ihr Bruder Lorenz spielte sich gern vor ihnen auf. Besonders in Anwesenheit anderer Leute. Also war es ihnen recht, wenn er zu Hause blieb.

Maria nähte sich aus dem Schlafzimmervorhang ein blaues Kleid, sie arbeitete daran, bis ihr die Augen wehtaten, sie arbeitete in der Nacht im Schein der Petroleumlampe. Das Kleid wollte sie auf der Reise anziehen, dazu den Strohhut mit den aufgestickten Mohnblumen. Es waren nur wenige Kilometer bis nach L., aber es war eine Reise. Sie drehte sich vor dem Spiegel in der Schranktür und war sehr zufrieden.

Sie würde vorne auf dem Bock sitzen, neben dem Bürgermeister. Dieses Bild genügte ihr vollends.

Den Kindern wollte sie etwas Kleines mitbringen. In der Zuckerdose waren immer einige Münzen, die steckte sie in die Handtasche. Die war ihr besonders schönes Stück, Josef hatte sie ihr geschenkt, Muscheln waren an die Säume genäht, die Schnalle war aus Perlmutt, genäht war sie mit einem Faden aus einem Material, das sie nicht kannte, ein roter Faden, glatt, glänzend und unverwüstlich.

Marias Schwester hatte einen Kaufmann geheiratet, der war viel älter und viel reicher als Josef. Er stammte aus dem Rheintal und hatte Geschäftsideen. Im Rheintal unten würden immer mehr Bauern an die Scheune eine kleine Halle anbauen, erzählte er, und Stickmaschinen pachten, das sei nicht viel Arbeit, bringe aber einiges und man habe ein zweites Standbein, er, der Schwager, wolle das im Wald einführen. Er hatte mit Josef darüber gesprochen, das war gewesen, gleich nachdem er Marias Schwester geheiratet hatte, er war extra zu ihnen nach hinten gekommen, durch den ganzen Wald war er geritten, auf einem Pferd, so wunderbar, dass der kleine Walter vor Freude laut geweint hatte, und vor Aufregung gezittert hatte er, als ihn Alfred, so hieß der Mann, der Maria in die Hand versprach, dass er ihre Schwester glücklich machen werde, in den Sattel hob und Lorenz die Zügel gab, damit er das Pferd und seinen Bruder darauf im Kreis führe. So einen wie Josef könne er brauchen, hatte der Schwager gesagt, einen, der rechnen könne, das habe sich ja herumgesprochen im ganzen Wald. Da hatte Josef das erste Wort gesagt: »Schmeichler!« Ob sie nicht alle miteinander von diesem traurigen Hinterwald, fuhr der Schwager gleich fort, wo mit

Sicherheit keine Zukunft auf sie warte, auf sie nicht und auf die Kinder schon gar nicht, ob sie nicht nach L. ziehen möchten, Josef solle auch an die Kinder denken. Bei ihnen gab es bereits ein Telefon und elektrisches Licht. Auch das erste Postauto. Wenn das nicht Fortschritt sei! Der Schwager hatte noch eine Idee. Eine wilde Idee, sagte Bella, Marias Schwester. Ob sie alle miteinander nicht frischweg nach Bregenz ziehen sollten! Alle miteinander! Ein großes Haus bauen! Einen großen Betrieb gründen! Eine neue Existenz! Ein neues Leben! Das war vor eineinhalb Jahren gewesen. Jetzt waren Alfred und Bella seit eineinhalb Jahren verheiratet und hatten noch keinen Nachwuchs.

Punkt halb sechs war Maria mit Heinrich, Katharina und Walter vor dem Haus des Bürgermeisters und zog an der Klingelkette.

Die Frau des Bürgermeisters öffnete und schlug die Hände vors Gesicht. »Wann haben wir uns das letzte Mal gesehen?«, rief sie aus.

»Vor einem Monat vielleicht«, sagte Maria.

»Wo soll das enden«, lachte die Frau Bürgermeister, »wenn du von Monat zu Monat doppelt so schön wirst, Maria! Dass hoffentlich der Teufel nichts mit dir vorhat!«

Frühstück für die Kinder stand bereit. Für ihren Mann und für Maria hatte die Frau in einer Blechbüchse belegte Brote und hartgekochte Eier hergerichtet.

Der Bürgermeister trieb die Pferde an, er wollte Eindruck schinden bei Maria – zwei dicke Pferde mit breitem braunem Rücken, das rechte mit einer hellen, langen Mähne und einem ebensolchen Schweif, das linke dunkler mit einem stolzen Kopf und unruhiger als das andere. Maria hielt sich den Hut, damit er nicht wegfliegen konnte. Sehr wohl spürte sie, wie der Bürgermeister näher rückte, sodass sich bei manchen Bewegungen ihre Oberschenkel berührten. Sie zog das Kleid eng um sich.

»Du singst sicher gut«, sagte er, »was ist dein Lieblingslied? Das könnten wir singen. Ich singe auch gut.«

Maria, halb im Ernst, halb scherzend, sagte: »*Maria durch ein Dornwald ging.*«

»Das ist doch ein Kirchenlied!«

»Das ist ein Kanon«, erklärte sie ihm. »Das klingt gut, wenn man es kann.«

»Ich sing doch jetzt kein Kirchenlied«, sagte der Bürgermeister.

»Dann eben nicht«, sagte Maria.

Sie drehte den Kopf weg, tat aber so, als sähe sie neben dem Weg etwas Interessantes. Der Wagen hatte Gummireifen, das war angenehm und selten, jedenfalls im hinteren Wald. Der Weg war grob, erst ab dem übernächsten Dorf begann der feine, geplättete Belag. Kurz erhob sich der Bürgermeister vom Bock und klatschte die Zügel auf den Rücken des Falben, setzte sich gleich wieder und kam wie zufällig noch näher neben Maria zu sitzen. Damit hatte sie gerechnet. Das würde so hinwärts gehen und auch zurück. Manchmal würde er sich über sie beugen, weil er irgendetwas schauen müsste oder so, halt dass er immer wieder an ihr anstreifen könnte, ohne dass auf Anhieb eine Absicht zu erkennen gewesen wäre. Wenn es nicht mehr sein würde, war daran nichts auszusetzen. Sie war gespannt, was er sich alles ausdenken würde, was nicht nach Absicht aussähe. Und ob er vielleicht doch irgendwann etwas tun würde, was absichtlich wie mit Absicht aussähe. Vor dem Bürgermeister fürchtete sie sich nicht. Sein Atem war ihr aber dennoch nicht angenehm. Zu nahe. Nicht, dass er schlecht gerochen hätte. Eher im Gegenteil. Er lutschte Pfefferminzbonbons. Eben, weil er wollte, dass er gut riecht. Gleichzeitig ging ihr durch den Kopf, dass sie freundlich zu ihm sein sollte, schließlich war von ihm einiges zu erwarten. Er wollte Lebensmittel für die Familie besorgen, und um Stoff und Faden könnte sie ihn auch fragen. Und um Schuhe. Heinrich würde sich nicht genieren, Schuhe von einem Fremden anzuziehen, er hatte Füße wie ein Erwachsener so groß. Lorenz würde aus Prinzip nichts anziehen wollen, was schon einer angehabt hatte, nämlich weil es in jedem Fall etwas Geschenktes wäre, und das Prinzip vom Lorenz lautete: Ich will von niemandem etwas geschenkt, dann brauche ich niemandem dankbar zu sein. Bei Katharina war sie sich nicht sicher. Sie konnte stur sein wie Lorenz, aber sie liebte Hübsches, besonders, wenn es auch noch gut roch. Dem kleinen Walter war alles recht, was seiner Mama recht war. Und Schulsachen brauchten sie auch. Die Schule fing bald an.

»Bürgermeister«, sagte sie, »ist es fein so nah an mir dran?«

»Tschuldigung«, sagte er und rückte weg.

»Ich meine nur«, sagte sie.

»Kein Mensch muss mich Bürgermeister nennen«, sagte er, »jedenfalls keiner von uns.«

»Gottlieb«, sagte sie.

Nach einer Weile sagte er: »Gottlieb ist das Gleiche wie Amadeus. Hast du das gewusst, Maria?«

»Nein, das habe ich nicht gewusst.«

»Wie Amadeus Mozart«, sagte er.

»Nein, das habe ich nicht gewusst«, wiederholte sie.

Der Bürgermeister hatte Beziehungen zu allen und jedem. Sie hätte auch bei ihrer Schwester nach Nötigem fragen können. Die hätte sicher Nötiges im Überfluss gehabt. Und sie hätte es gern gegeben. Dann wäre sie aber noch mehr als die Unterlegene dagestanden. Wenn ich ganz und gar störrisch bin, dachte sie, wird es auch ganz und gar nichts geben. Einen Kuss darf er mir aufdrücken auf eine Wange und dabei so tun, als wäre es Freundschaft, und am Oberarm darf er mich halten, mehr nicht, nicht allzu weit oben, wo ich unter der Achsel schon schwitze, und mehr wird auch nicht nötig sein, damit er ein wenig großzügig sich gibt, und mehr wird er nicht tun. Ich für mich will nichts.

Sie fuhren auf die Gemeinde L. zu, und von Weitem hörten sie schon Kuhglocken und Musik. Als Kind war sie jedes Jahr auf dem Viehmarkt gewesen, damals hatte es angefangen, dass auch Stände wie auf einem Rummelplatz aufgestellt wurden, Schießstände zum Beispiel, wo die Burschen Lebkuchenherzen schießen konnten, auch ein Stand, an dem Zuckerwatte gesponnen wurde in drei verschiedenen Farben, dann freie Tische ohne ein Dach darüber, auf denen Ringlein und Kettchen, Armbänder und Halstücher angeboten wurden, und Stände mit Kuchen und Süßwaren, die aus der eigenen Gegend kamen, die Sensation war Blätterteig. Die Besucher waren gut angezogen, das Beste, was sie hatten, trugen sie. Most wurde getrunken. Und die Köpfe waren rot, schon so früh am Morgen. Eine Blasmusik spielte, also doch. Hinten eine Tschinelle, eine große Trommel und eine kleine Trommel. Josef hatte als Bub Klarinette gelernt, aber keine eigene besessen und darum wieder aufgehört. Den gleichen Militärmarsch spielte die Kapelle dreimal hintereinander, bis er wirklich jedem auf die Nerven ging. Dann räumten die Musikanten ihre Instrumente zusammen. Am späten Nachmittag würden sie wieder spielen.

Der Bürgermeister trank Most, er hatte einen Bekannten getroffen, der hielt schon den Krug in die Höhe, um nachzuschenken. Maria solle sich ungeniert umsehen, man werde sich hier nicht verlieren, sagte der Bürgermeister. Vieh stand aufgereiht hinter einem Gatter, Kühe, Schafe, Ziegen. Drei Stiere waren da, gescheckte, die hatten Ringe in der Nase und waren an kurzen Ketten am Boden angemacht. Diese Verzweiflung in den Augen konnte sich Maria nicht ansehen. Bauern verhandelten miteinander im Sonntagsgewand, klatschten mit der Hand auf die Rücken der Rinder und streichelten die Kälber und ließen sich die Hände ablecken.

Es gab einen Stand mit Stoffballen, da blieb Maria stehen und staunte, das liegt in unserer Familie, wir Frauen greifen gern Stoffe an, meine Mutter, meine Tanten, ich ganz besonders und meine Großmutter Maria eben auch.

»Greifen Sie den Stoff ruhig an«, sagte die Verkäuferin, eine Schwäbin, und Maria nahm den Stoff zwischen Daumen und Zeigefinger und rieb ihn.

»Das ist zu wenig«, sagte die Verkäuferin, »richtig tief angreifen müssen Sie ihn.«

Maria wusste nicht, was mit *tief angreifen* gemeint war. Die Verkäuferin machte es ihr vor. »Erst die Ärmel hoch«, sagte sie, sie tat es an Marias Bluse, öffnete die Knöpfchen und schob die Ärmel hinauf bis unter die Achseln, wo es jetzt schon sehr feucht war, »und dann hineinfahren mit den Armen, als wär der Stoff Wasser. Merken Sie, wie kühl er ist? Das

34

tut doch gut, wo es jetzt gleich richtig heiß wird. Die Soldaten können einem leidtut, später Herbst oder Frühjahr wär doch für den Krieg angenehmer, jetzt müssen sie mit der vollen Ausrüstung in der Sonne marschieren, und in Italien ist es ja noch heißer als bei uns.«

»Danke«, sagte Maria und schob die Ärmel wieder nach vorne, knöpfte sie aber nicht zu.

Der Bürgermeister stand hinter ihr: »Welche Farbe magst du am liebsten?«

»Himmelblau«, sagte Maria.

»Rot würde besser zu dir passen«, sagte er.

»Ist ja nicht für mich.«

»Aber wenn es für dich wäre?«

Schnaps gab es auch. Ob sie einen kleinen Schluck trinken wolle, fragte der Bürgermeister, aber es war nicht ernst gemeint. Er trank gern, aber besoffen war er nie. Die meisten Männer hier tranken selten, aber wenn, dann waren sie besoffen wie die Schweine. Josef trank nie etwas.

Sie werde erst einmal zu ihrer Schwester und dem Schwager gehen, sagte sie, und dann mit beiden zusammen wieder auf den Markt zurückkommen.

Aber das hatte sie nicht vor. Sie wusste nicht, was sie vorhatte, der Markt interessierte sie schon gar nicht mehr. Es würde eine lange Zeit werden bis zum Abend um sechs. Bei einem Stand für Süßigkeiten sah sie einen kreisrunden Lutscher, er war so groß wie ein Handteller, in Spiralen nach innen war er rot und weiß und grün. Der Verkäufer sagte, das Rote sei Erdbeere, das Grüne Waldmeister, das Weiße Zitrone. Ein Riesenstück, das nicht in einen Mund passte, in einen Kindermund schon gar nicht. Davon müsste man abbrechen und dann verteilen. Aber dann wäre der Lutscher kaputt. Ihn einfach nur aufheben wäre ein Unsinn. Ein Gemeinschaftsgeschenk könnte er sein. Man könnte ihn in der Küche aufhängen, und wer will, darf daran schlecken. Oder fünf Minuten darf ihn Heinrich haben, fünf Minuten Katharina, fünf Minuten der Walter und fünf Minuten, wenn er will, Lorenz. Sie fürchtete, Lorenz werde sagen, was gibst du Geld für so einen Blödsinn aus, ich will nicht daran schlecken. Dann wäre er der Einzige, dem sie nichts mitgebracht hätte. Ein Wägelchen aus Holz hatte sie gesehen, weiter drüben, das könnte Heinrich hinter sich herziehen, und Walter könnte sich hineinsetzen. Dann würde aber Lorenz wieder nichts haben. Und was wäre etwas für ihn? Zu essen sicher nichts, er würde mit seinen Geschwistern teilen und für sich am wenigsten behalten oder gar nichts.

Ein Mann kam auf sie zu, er war schneidig, trug nur ein weißes Hemd zu einer schwarzen Hose, hatte keine Jacke dabei und sah fremd aus, er redete auch fremd, fremd war vor allem sein Haarschnitt, an den Schläfen hinauf fast kahl und oben ein Schopf.

»Suchen Sie etwas Bestimmtes?«, fragte er.

»Gehört Ihnen ein Stand hier?«, fragte sie. »Ich suche etwas für meinen Sohn, neun Jahre.«

»Was interessiert ihn denn?«

»Das weiß ich eben nicht. Sie reden merkwürdig. Ich habe noch nie jemanden so reden hören. Was sind Sie für einer?«

Da lachte der Fremde laut heraus und lachte lang. »Und ich habe noch nie erlebt, dass eine Frau so direkt ist.«

»Was meinen Sie mit direkt?«, fragte Maria.

»Wenn ich, angenommen, eine schiefe Nase hätte, und ich

würde Sie fragen, ob ich eine schiefe Nase habe, dann würden Sie wahrscheinlich sagen, ja, Sie haben eine schiefe Nase. Habe ich recht?«

»Was sollte ich denn sonst sagen?«

Da lachte der Fremde wieder und wieder laut und lang. – Diese Anekdote hat meine Großmutter ihrer ältesten Tochter Katharina erzählt, aber erst einige Jahre später. Meine Tante Kathe hat sie mir weitererzählt. Sie sagte, ein einziges Mal sei ihre Mama, also meine Großmutter, betrunken gewesen in ihrem Leben, sie wisse nicht, was der Anlass war, da habe sie plötzlich, wie aus dem himmelblauen Himmel heraus gesagt, sie habe sich ein einziges Mal verliebt in ihrem Leben, nämlich in diesen Mann, und seither wisse sie, dass Verliebtsein nichts bedeute, aber Liebe bedeute viel. – Niemals in einem nüchternen Zustand hätte Maria so zu ihrer Tochter gesprochen.

»Ich heiße Georg«, sagte der Fremde und hielt Maria die Hand hin. »Ich komme aus Deutschland, aus der Stadt Hannover, ich bin nicht zufällig hier. Und Sie?«

Er will mich nicht mustern, dachte Maria, aber er mustert mich doch, und es gelingt ihm nicht, sein Staunen zu verbergen, weil ich so schön bin. So oder so ähnlich hatte sie schon oft gedacht. Es war keine Kunst, die Blicke der Männer zu deuten. Er erzählte ihr, dass er hier in diesem Dorf sei, um eine traurige Nachricht an eine Familie zu überbringen. Der Sohn dieser Familie sei gestorben, er sei ein Freund von ihm gewesen, sein bester Freund, und es sei an ihm, den armen Leuten davon zu berichten.

»Waren Sie denn schon im Krieg, und Ihr Freund ist gefallen?«, fragte Maria.

»Nein«, sagte er, »es war ein Unfall, es hat nichts mit diesem dummen Krieg zu tun.«

Er wollte nicht weiter darüber reden, das merkte sie, aber er wollte das Gespräch auch nicht abbrechen, weil er fürchtete, dann würde sie sich umdrehen und gehen. Ob sie von hier sei, fragte er.

Sie gab kurze Antwort. Dieser Mann, der Georg heißt, gefällt mir, dachte sie. Das war eine Tatsache. Aber ihr gefielen auch die Berge im Abendschein. Und dass sie sich in ihn verliebt hatte, merkte sie erst später. Er sagte den Namen der Familie, die er suchte. So hießen hier viele. Darum sagte sie, nein, die kenne sie nicht. Sie verabschiedeten sich mit Händedruck, förmlich, dann machte sie sich auf den Weg zu ihrer Schwester, den Weg über schaute sie nicht zurück, sondern nur auf den Boden. Das Haus stand auf einer Anhöhe, bis hinauf könnte er ihr nachschauen.

Der Schwager war im Vorgarten und rief nach seiner Frau, die kam aus dem Haus gelaufen, und die Umarmerei begann. Dann aßen sie Speckbrote und tranken dazu Wasser mit einem Schuss Essig und saßen vor dem Haus und schauten hinunter auf den Markt. Um sechs Uhr war Maria wieder unten, nun war weniger los, alle hatten alles gesehen.

»Wir müssen«, sagte der Bürgermeister.

Er war wahnsinnig gut aufgelegt und redete. Er habe sich einen Stier reserviert, der werde gebracht, er müsse sich um nichts kümmern, der reinste Luxus, die pure Bereicherung für jeden, der ein Rind besitze. Die ganze Strecke über redete er, ohne Unterlass. Er fuhr durch das Dorf und an seinem eigenen Haus vorbei und ließ Maria nicht zu Wort kommen und tat dann so, als habe er vergessen, dass Heinrich, Katharina und Walter bei seiner Frau darauf warteten, abgeholt zu werden.

»Ich schick sie herauf. Es ist noch hell genug. Bewegung tut ihnen gut. Dann schlafen sie besser.«

Beim Brunnen half er Maria aus dem Wagen und gab ihr ein Paket, das in braunes Papier eingeschlagen war. Für die Kinder hatte er Seidenbonbons gekauft und außerdem noch Schulsachen. Und für sie, Maria, ein Extrapaket. Aus Dankbarkeit stellte sie sich auf die Zehenspitzen und gab ihm einen Kuss, dem Gottlieb, dem Amadeus. Lorenz saß neben dem Hund auf den Stufen zur Veranda, die Ellbogen auf den Knien, das Kinn in den Händen, und sah ihnen zu.

In dem Extrapaket war roter Stoff, der glänzte, und dazu Nähfaden.

Dann stand er vor der Tür. Der Fremde, der Georg hieß. Nicht angemeldet. Nie hat sich jemand bei Maria und Josef angemeldet. Wie auch? Warum auch? Erst einen schicken, der sagen soll, man kommt dann und dann? Was hätte das für einen Sinn? Zwei Wege. Von einem Fremden aber sollte man erwarten dürfen, dass er einen Burschen aus dem Dorf bittet, ihn zu begleiten. Damit die friedliche Absicht bekundet würde. Stand auf einmal vor ihr – sie wieder beim Wäscheaufhängen, mit einem weißen Hemd in der Hand, das sie nun schon dreimal gewaschen hatte, aus Unachtsamkeit – oder dass sich das saubere Hemd von allein in die Schmutzwäsche geschmuggelt hatte, weil es den letzten Geruch von Josef loswerden wollte, weil die Dinge mehr wussten als die Menschen und das Hemd wusste, dass Josef nicht mehr zurückkehren würde? – nein, Maria war nicht abergläubisch. Der Fremde sah sie einfach nur an. Sie, die Manschetten in den Händen, die Arme ausgebreitet, damit das Hemd nicht den Boden berührte. Der Hund hatte keinen Laut von sich gegeben. Der Mann beugte sich zu ihm nieder, kraulte ihm das Ohr, tätschelte seinen Hals, ließ dabei Maria nicht aus den Augen. Er sah ihr *tief ins Augeninnere*.

Das ist ein Ausdruck, den meine Mutter manchmal verwendete. Wenn sie glaubte, ich hätte sie angelogen, sagte sie: »Schau mir tief ins Augeninnere!«

Irgendwann sagte ich zu ihr, da war ich acht und war schon voll der Empörung über unsere Familie, weil ich schon so viele Geschichten gehört hatte, über die Brüder meiner Mutter vor allem, von denen, außer dem Heinrich, keiner so war wie andere Männer, da sagte ich zu meiner Mutter: »Niemand redet so wie du! Immer redest du so, wie niemand redet! Warum redest du so, wie niemand sonst redet!«

Und sie sagte: »Gib mir ein Beispiel! Und verurteile mich nicht!«

Und ich sagte: »Zum Beispiel: Schau mir ins Augeninnere. Niemand sagt, schau mir ins Augeninnere. Wenn einer schon so etwas sagen will, dann sagt er, schau mir in die Augen, aber nicht ins Augeninnere!«

Das habe sie von ihrer Mutter, sagte sie. »Von deiner schönen Großmutter.« Und sprach in einem Atemzug weiter: »Die war wie du.«

Ich wurde noch wütender: »Was heißt das?«, rief ich und stampfte auf. »Was heißt das jetzt schon wieder? Immer redest du in Andeutungen.«

Und sie antwortete: »Pass auf, dass du nicht so wirst wie sie!«

Meine »schöne« Großmutter war Vorbild und Vorwurf. Alles Gute hing an ihr, aber wenn meiner Mutter etwas an mir nicht passte, sagte sie, ich solle aufpassen, dass ich nicht werde wie sie. Das Gute an meiner Großmutter war ihre Sanftmut, und dass sie jedem zuhörte, dass sie der Meinung war, jeder verdiene es, angehört zu werden, und zwar bis zum Schluss, und dass den Schluss der Rede nur der Redner selbst bestimmen könne. Manchmal kommt mir der Gedanke, die Sanftmut meiner Großmutter war in Wahrheit Gleichgültigkeit und Phlegma. Als ein weiteres Gutes musste anerkannt werden, dass sie nicht nachtragend war. Das Nicht-Gute an ihr war allein ihre Schönheit. Nicht gut wegen der Folgen. In unserer Familie galt ich als schön. Das Wort ist zwar nicht verwendet worden, aber aus den Umschreibungen durfte ich darauf schließen. Die Umschreibungen waren übrigens alle negativ. »Du meinst, du kannst dir alles erlauben nur wegen deinem Gesicht!« Oder: »Binde die Haare zusammen, bei dir braucht's nicht auch noch eine Frisur!« Oder eben: »Pass auf, dass du nicht wirst wie deine Großmutter!« Inzwischen glaube ich, meine Mutter hat das nicht als eine Drohung gemeint. Sie hat gemeint, ich soll Obacht geben, für ein hübsches Gesicht besteht Gefahr. Wenn sie so dachte, dann wusste sie, warum. Im hintersten Tal war es nicht günstig für eine Frau, schön zu sein. Das meinte sie. Über die Schönheit meiner Großmutter wurde hinten im Tal noch bis über ihren Tod hinaus gesprochen.

Ich nehme jetzt etwas vorweg, was in der Geschichte erst viel später drankommt, aber ich halte es nicht aus, es hinauszuschieben, ich will es gleich erzählen: Irgendwann stand der Pfarrer vor dem Haus von Maria und Josef hinten im hintersten Tal, genauso unangemeldet wie der Fremde, der Georg hieß. Aber der Pfarrer war nicht freundlich, wie der Fremde freundlich war. Der Fremde war nämlich freundlich. So freundlich war er zu Maria, wie noch nie jemand freundlich zu ihr gewesen war. Nicht einmal Josef. Der konnte zärtlich sein. Wenn es dunkel war, sogar sehr zärtlich. Er war hilfsbereit und alles Mögliche noch. Aber freundlich war der Josef nicht. Das war einfach nicht sein Charakter. Der Fremde war freundlich, sodass kein Unterschied war zwischen Mann und Frau. Der Pfarrer aber sagte nur, grüßte nicht, sagte nur:

»Dreh dein Gesicht in die Sonne!«

Und das tat Maria. Fragte aber doch: »Und warum soll ich?«

»An diesem Gesicht kann man alles abschauen«, sagte der Pfarrer.

»Was denn zum Beispiel?«, fragte sie.

»Wie lang ist dein Mann jetzt schon weg?«, fragte der Pfarrer dagegen, aber es klang wie ein Befehl.

»So lange der Krieg ist«, sagte Maria.

»Und der Bauch?«

»Welcher Bauch?«

»Dein Bauch, du Luder! Wie lange schon gibt es diesen Bauch?«

Sie hätte gern gesagt, sie will nicht, dass man so mit ihr spricht, auch ein geistlicher Herr dürfe das nicht. Aber sie war so erschrocken über das böse Wort, dass sie gar nichts sagte.

»Es ist dieses verdammte Gesicht!«, rief der Pfarrer. Dabei drehte er sich um, rief es ins Tal hinunter, als würde er auf der Kanzel stehen und unten lauschte die Gemeinde und glotzte zu ihm hinauf, rechts die Frauen, links die Männer. »Glaubt denn einer, der Herrgott formt so ein Gesicht? Glaubt denn einer, der Herrgott ist so ungerecht? Die Frauen plärren, wenn sie dein Gesicht sehen, und sie gehen ihren Männern auf die Nerven. Warum nicht ich? Das sagen sie. Als hätte der Mann dein Gesicht gemacht, damit er es anstarren kann. Sie kommen zu mir in den Beichtstuhl und sagen das. Warum nicht ich? Als hätte ich dein Gesicht gemacht. Aus welchem Dreck denn, bitte? Aus welchem Dreck hätte ich so ein Gesicht kneten können? So ein Dreck wächst bei uns nicht. So ein Dreck wächst vielleicht in der Stadt. Und vom Gesicht geht's dann direkt in den Bauch. Ha! Das ist ein kurzer Weg. Man kann den Männern nicht einmal böse sein. Das denkst du dir doch auch, oder? Gib Antwort, Maria! Was denkst du? Sag mir, was du denkst! Wenn ich dich jetzt frage, du Luder, dann würdest du sagen, natürlich würdest du das sagen: Wem der Herrgott so ein schönes Gesicht gegeben hat wie mir, das würdest du doch sagen, gib's zu, dem gibt er auch das Recht, sich mit den Männern einzulassen. Dass du sie zu dir lässt. Wozu wäre denn so ein schönes Gesicht sonst gut. Genauso denkst du doch! Gib's zu! Gib's zu!«

Das, weil meine Großmutter schwanger war. Und der Josef im Feld war, eigentlich im Gebirge bei Italien. Das war, als der Krieg ein halbes Jahr alt war. Der Josef, so dachte der Pfarrer und wahrscheinlich das ganze Dorf, der hat es also nicht sein können. Obwohl er zweimal auf Urlaub war. Aber jedes Mal nur kurz. Den Urlaub haben der Pfarrer und die anderen sehr gering angerechnet. Sobald der Bauch unzweideutig sichtbar war, ist darüber diskutiert worden. Auch andere Frauen von Soldaten waren schwanger, darüber ist aber nicht diskutiert worden. In den Diskussionen sind Rechnungen aufgestellt worden. Urlaub sind drei Tage, gut. Braucht einer, wenn er von der Front kommt, nicht wenigstens einen Tag, wo er sich nur ausruht und zu sonst nichts in der Lage ist? Mit Sicherheit braucht er das. Dann wären es nur noch zwei Tage. Normalerweise sind sich Mann und Frau, wenn der Mann direkt aus dem Krieg kommt, fremd, das wird immer erzählt, und so ein Fremdsein hält normalerweise sogar länger an als die Müdigkeit. Sagen wir, es hält einen Tag. Gut. Dann bleibt gerade noch ein Tag für den Vollzug der Ehe. Und dass es ausgerechnet an diesem einen Tag klappt, das darf als unwahrscheinlich angesehen werden. Oder wenigstens als wenig wahrscheinlich.

Maria war schwanger, und in ihrem Bauch war meine Mutter.

Meine Großmutter hielt dem Blick des Fremden nicht stand. Zusammenreißen!, befahl sie sich. Diesen Befehl kannte sie nur in Bezug auf eine Sache: die Lust nämlich. Sonst gab es in ihrem Leben nichts, weswegen sie sich zusammenreißen hätte sollen. »Reiß dich zusammen!« – das hatte ihr schon ihre Mutter befohlen. Die hatte sie einmal erwischt, wie sie an sich selber Hand angelegt hatte. Und den Ausdruck »Hand an sich anlegen«, den hatte auch die Mutter verwendet. Später hatte Maria die Wendung irgendwo gelesen, da war es aber darum gegangen, dass sich einer das Leben genommen hat. »Er hatte Hand an sich gelegt.« Wie er es gemacht hatte, war nicht zu lesen gewesen. Sie hatte sich gedacht, mit einem Messer. Das Messer hält man in der Hand, wenn man sich in die andere Hand schneidet, das heißt in den Unterarm. Man soll übrigens nicht quer, sondern längs schneiden. Woher sie das wieder hatte, wusste sie nicht.

»Reiß dich zusammen!«, befahl mir auch meine Tante Kathe. Die hatte nach dem Tod meiner Mutter bei uns zu befehlen. »Reiß dich zusammen!« Aber nicht, wenn ich meine Hausaufgaben nicht machen wollte oder wenn ich wegen irgendetwas stur war, sagte sie es, sondern wenn sie glaubte, ich hätte mich wieder einmal in einen der Burschen verschaut. Dass ich aufpassen soll, dass ich nicht werde wie meine Großmutter, das hat meine Tante Kathe zu mir nie gesagt.

Der Mann hat meiner Großmutter gefallen, sie hat sich in ihn verschaut. Und der Mann, der Georg hieß, gefiel ihr tatsächlich mehr, als ihr Josef je gefallen hatte. Denn bei Josef kam alles Mögliche noch dazu, was wichtig war für eine Ehe, was aber eines das andere kleiner machte. Bei diesem Mann war es allein nur die Lust.

»Ich bin verheiratet«, war das Erste, was sie zu ihm sagte.

Er sagte: »Das weiß ich doch.«

»Mein Mann ist im Feld«, sagte sie.

Er sagte: »Das tut mir leid.« Und nach einer kleinen Pause: »Ich gehöre nicht zu denen, die den Krieg begrüßt haben, gar nicht.«

»Ich auch nicht«, sagte Maria.

»Dein Mann wahrscheinlich auch nicht.«

»Nein, auch nicht.«

»Er kann ja so verschieden nicht sein zu dir, sonst hättest du ihn nicht genommen.«

Sie fühlte sich nicht wohl. Außerdem wurden ihr die Arme schwer, immer noch hielt sie das Hemd vor sich ausgebreitet. Wie zur Abwehr. Mit Josef fühlte sie sich wohl. Und manchmal unwohl. In der Dunkelheit immer wohl, am helllichten

Tag manchmal unwohl. Weil er ihr ein wenig unheimlich war. Jetzt war er weg. Es musste damit gerechnet werden, dass er nicht wiederkam. Dann würde es heißen: Beim Josef hatte sie sich wohlgefühlt, der hat ihr wohlgetan. Sie hatte sich unter ihm wohlgefühlt. Garantiert würde so geredet werden. Die Frauen im Dorf würden solche Worte gebrauchen. Unter seinem Körper hat sie sich wohlgefühlt. Das war ein Lieblingsthema der Frauen: sich die beiden im Bett vorzustellen. Die Männer würden andere Worte gebrauchen. Josefs Körper war nicht schwer gewesen. Das hatte sie oft gedacht, wenn er auf ihr gelegen war: Wie leicht er doch ist. Wenn sie ihr Kreuz hohl gemacht und sich plötzlich aufgebäumt hätte, wäre er von ihr heruntergefallen. Er wusch sich oft und sehr gründlich. Er wollte nicht riechen, wie die anderen Männer riechen. Nach Stall. Sie hatte ihm zum Geburtstag Zitronenseife geschenkt. Darüber hatte er sich sehr gefreut. Als Mädchen hatte sie sich vor sich selber geschämt, weil die Lust ihr so wichtig war, wahrscheinlich hatte man das tatsächlich ihrem Gesicht angesehen, wahrscheinlich sah das tatsächlich jeder immer noch. Sie war eben, was sie war. Einmal sagte sie im Beichtstuhl zur Silhouette des Pfarrers hinter dem Gitter: »Ich bin, was ich bin.« Und der Pfarrer hatte geantwortet: »Pass bloß auf dich auf!« Von da an beichtete sie nur noch, dass sie ein bisschen gelogen hatte oder der Schwester ein bisschen das Maul angehängt hatte oder ein bisschen Äpfel geklaut hatte. Dann war dieser Pfarrer gestorben, und der neue war gekommen, und der hatte ein Auge auf sie, ein böses, als wäre sie mit dem Teufel im Bunde. Seither hatte Maria nicht mehr gebeichtet.

»Woher wissen Sie, wo ich wohne?«, fragte sie.

»Ist das ein Hemd von deinem Mann?«, fragte der Fremde zurück.

»Ich habe Ihnen nicht gesagt, wo ich wohne.«

»Es sieht lustig aus, wenn du das Hemd so vor dich hin hältst. Das ist nicht nötig. Es sieht aus …«

»Wie sieht es aus?«

»Nicht lustig, nein, entschuldige. Es sieht aus wie eine Mauer. Mir fällt kein anderes Wort ein. Weil ich außer Atem bin vom Heraufgehen.«

»Ich höre nicht, dass Sie außer Atem sind. Man hört das nicht. Kein bisschen.«

»Ich bin aufgeregt. Das sind sicher alle, wenn sie vor dir stehen, nehme ich an.«

»Ich weiß nicht, was Sie meinen.«

»Jeder hier weiß, wo du wohnst. Ich will nicht herumreden, das könnte dir Angst machen. Mir wäre lieber, wenn du auch du zu mir sagen würdest. Wenn du Sie sagst und ich sage du, dann könnte man meinen, du hast Angst vor mir. «

»Es ist niemand da, der das meinen könnte.«

»Ich habe auf dem Markt jemanden gefragt: Wo wohnt die freundliche Frau, mit der ich gerade gesprochen habe, ich habe vergessen, ihr etwas zu geben, und jetzt ist sie weg, es ist aber sehr wichtig, nur deshalb bin ich von so weit her gekommen, ich muss ihr etwas überbringen. Ich habe gelogen, ich habe gesagt, ich muss dir eine Nachricht bringen.«

»Wen hast du gefragt?«

»Einen Mann bei einem Stand, der uns beobachtet hat, wie wir miteinander gesprochen haben. Der hat gelacht und hat gesagt, das kann er verstehen, bei dir verliert jeder den Kopf und vergisst, was er eigentlich sagen wollte.«

»Das glaube ich nicht, dass er das gesagt hat.«

»Nein, du hast recht, das hat er nicht gesagt.«

»Warum erzählst du dann so etwas?«

Der Mann sagte: »Schick mich nicht weg, Maria. Nur anschauen will ich dich. Ich habe so lange nichts Schönes mehr gesehen. Ich verspreche dir, ich komme nicht näher als einen Meter. Lass mich einfach nur dein Gesicht anschauen.«

Da stand Lorenz neben seiner Mutter, der Hund bellte, bellte heftig, Lorenz nahm ihn am Halsband und zog ihn von dem Fremden weg.

»Wer ist dieser Mann, Mama?«

Der Mann sagte: »Ich komme von weit her, mein Name ist Georg, wie der heilige Georg, der gegen den Drachen gekämpft hat. Viel Unrat wurde mir zwischen die Füße geworfen, lass mich es dir erklären. Ich bin kein schlechter Mensch. Ich habe deine Mutter auf dem Markt gesehen. Sie war freundlich zu mir. Ich bin von freundlichen Menschen nie verwöhnt worden. Wenn ich allein mit dir wäre, Junge, dann würde ich jetzt weinen, wie ein Mann vor einem Mann weint. Aber vor deiner Mutter will ich nicht weinen. Wie alt bist du?«

»Ich bin neun«, sagte Lorenz und stellte sich vor seine Mutter. »Was wollen Sie von ihr?«

»Ich habe meinen besten Freund verloren«, klagte der Mann. »Ich musste seinen Eltern berichten. Heute habe ich die Eltern meines Freundes gefunden, aber ich habe es ihnen nicht sagen können, ich habe es nicht übers Herz gebracht. Ich habe gesagt, ich weiß nicht, wo er ist. Ich habe gesagt, ich bin gekommen, weil ich dachte, er sei hier. Sie haben gesagt, der soll sich nur ja nicht mehr bei uns blicken lassen. Er ist abgehauen und hat uns alleingelassen. Er ist nicht mehr unser Sohn. Das haben sie gesagt. Dabei ist er tot. Und ich habe es nicht übers Herz gebracht, es ihnen zu sagen. Lasst mich in eure Stube. Nur für eine halbe Stunde. Ich bin keine Gefahr. Für niemanden. Nur kurz mich hinsetzen und ein Glas Wasser trinken möchte ich.«

Und Lorenz, obwohl er es nicht wollte, fand Gefallen an dem fremden Mann und bat ihn ins Haus, und war Maria zuvorgekommen, gerade neun war er, und schon benahm er sich wie der Hausherr, das war seiner Mutter nicht recht. Aber Lorenz dachte, wenn der Vater nicht da ist, hab ich das Sagen.

Sie setzten sich an den Tisch, Lorenz dem Fremden gegenüber, sodass er ihn gerade im Auge hatte. Maria stand bald wieder auf und tat dieses und jenes, rutschte wieder auf die Eckbank, stand wieder auf, sie konnte nicht ruhig bleiben. Der Hund war unter den Tisch gekrochen, er lag zwischen den Füßen von Lorenz und den Füßen des Fremden. Die Katze saß auf dem Fensterbrett und schaute hinaus, wo über dem Berg noch ein Streifen goldenweißer Himmel war.

»Bist du denn der Älteste?«, fragte Georg.

»Nein, Heinrich steht über mir, aber er hat keine Kraft, sich vor Menschen zu behaupten, er ist mit den Tieren eins. Ich vertrete den Vater, der in den Krieg ziehen musste. Ich sorge dafür, dass die Mutter es gut hat.«

»Warum sprichst du so eigenartig?«, fragte Georg. »So spricht doch kein Kind.«

»So wie Sie sprechen, spricht auch niemand«, sagte Lorenz.

»Bei euch spricht niemand so, bei uns in Hannover sprechen alle so.«

»Du sprichst nach der Schreibe«, sagte Lorenz. »Darum habe ich auch nach der Schreibe gesprochen.«

»Was heißt das?«

»Das heißt«, antwortete Maria, »man redet, wie man schreibt. Dann sagt man bei uns, einer redet nach der Schreibe. Der Lorenz kann das gut.«

»Und woher weißt du, wie man so schreibt?«, fragte Georg.

Maria und Lorenz sahen einander an. Sie wussten nicht, an wen die Frage gerichtet war.

»Vom Lesen her«, sagte Lorenz schließlich.

»Was liest du denn?«, fragte Maria. »Wann liest du denn? Ich seh dich nie lesen. Aber ich glaube dir. Ich kann dich verstehen. Du liest, wenn du allein bist. Das kann ich verstehen. Er liest, wenn er allein ist. Das kann ich verstehen.« Dann sagte sie: »Ich muss hinaus, die Wäsche fertig aufhängen.«

Als der Mann und der Bub allein waren, erzählte der Mann dem Bub sein Leben. Wie er von klein auf nichts gegolten hat, immer nur Lederschnüre einziehen musste, wie er seinen besten Freund kennengelernt hatte, dessen Hände verätzt waren von der Gerberei, am Rand der Stadt sei er aufgewachsen, alles habe nach der Gerberei gestunken am Tag und in der Nacht, bis in die Unterhosen und in die Strümpfe hinein stinke jeder Mensch dort nach Gerberei. Sein Freund und er seien gemeinsam eine einzige Kraft geworden, wie sie sich in ihren Köpfen zusammengesponnen hatten, wie man richtiges Geld sich beschaffen könnte. Richtiges, einen Haufen voll. Nicht eine Handvoll.

Lorenz sagte: »Ich werde niemandem etwas weitererzählen, Ehrenwort.«

Mit einem Raubüberfall nämlich.

»Ich bin ein Verbrecher«, sagte Georg. »Ich habe einen Mann überfallen und ihm sein Geld geraubt, das gar nicht seines war. Er war nur ein Bote. Aber er hatte eine Pistole bei sich, und wir hatten keine. Er hat abgedrückt, und mein Freund war tot. Und ich bin weg. So.«

»Mit dem Geld weg?«, fragte Lorenz.

Georg beugte sich zu ihm über den Tisch und flüsterte: »Sag, Junge, könnte ich das Geld bei dir in Verwahrung geben? Ich will dir auch einiges davon spendieren.«

»Wie viel?«, fragte Lorenz.

»Das können wir zwei uns aushandeln«, sagte der Mann.

»Die Geschichte ist eine volle Lüge, gell?«, sagte Lorenz.

Katharina hüpfte herein, die meine strenge Tante Kathe werden wird, die so oft zu mir sagte, ich solle mich zusammenreißen, und stellte sich dazu, als wäre es für eine Fotografie. Und das Wägelchen mit der Katze zog der Walter, der mein Onkel Walter werden wird, der jeder Frau hinterhergestiegen ist, nicht zu übersehen war er mit seinen fuchsroten Haaren, und der selbst von seiner Frau betrogen wurde mit einem Mann, der aussah wie Clark Gable, manchmal haben die beiden mich mitgenommen über die Grenze in die Schweiz oder hinauf in die Berge, dann saß ich zwei Stunden in seinem Wagen und drehte am Autoradio und langweilte mich, während sie es in einem Hotel oder auf einer Sommerwiese miteinander trieben. Am Schluss kam Heinrich von den Tieren, er wird, wie sein Bruder Lorenz sagte, sein Leben lang mit den Tieren eins sein. – Da war nun auch Maria draußen mit der Wäsche fertig, und sie machte Kaffee und setzte sich wieder auf ihren Platz neben dem Fremden.

»Was redet ihr?«, fragte sie.

»Nur wir beide reden«, sagte Lorenz, »der Georg und ich. Die anderen sagen nichts.«

»Und was redet ihr beiden?«

Lorenz sagte: »Geschäftliches.«

Drei Kinder fehlen noch: meine Tante Irma, mein Onkel Sepp und eben meine Mutter, die Grete. Aber nur die Grete ist noch im Krieg zur Welt gekommen.

Als ich zum ersten Mal in Wien im Kunsthistorischen Museum war und die Bauernbilder von Pieter Bruegel dem Älteren sah, dachte ich: Die sehen aus wie die Meinigen aus den Erzählungen meiner Mutter und meiner Tante Kathe. Die Kinder sind wie Erwachsene, nur kleiner. Sie tragen die gleichen Kleider, nur kleinere. Sie haben die gleichen ernsten Gesichter, nur kleinere. Die Häuser sind so klein, man kann nicht glauben, dass da Leute hineinpassen. Ich kenne alle ihre Geschichten. Es sind Geschichten wie auf dem Gemälde über die Sprichwörter, das ich in Berlin in der Gemäldesammlung der Stiftung Preußischer Kulturbesitz gesehen habe. Und wie ich viele der Sprichwörter nicht deuten kann, weiß ich auch mit manchen Geschichten meiner Leute nichts anzufangen. Weil sie von Verrücktheiten erzählen. Von einem Gendarmen wird berichtet, wenn der seinen Dienst getan hatte, legte er sich zu Hause aufs Kanapee und schlief, aß dazwischen schweigend Wiener Würstchen und trank Kakao, selten etwas anderes. Dann legte er sich wieder aufs Kanapee, bis er am Abend zu Bett ging. Nie ein Wort zu Frau und Kindern, bis er starb, und wenn er zu Hause war, sollte das Radio abgeschaltet werden. Seine Kollegen sagten, auch im Dienst habe er so gut wie nie gesprochen. Was ist mit dem Mann links unten im Bild? Der linke Fuß ohne Schuh, an der rechten Wade ein weißer Verband, ein weißes knielanges Kleid trägt er, darüber eine enge Weste, die aussieht wie eine Rüstung, in der rechten Faust hält er ein langes Messer, Klinge voraus, auf dem Kopf trägt er eine Haube, und mit der Stirn drückt er gegen eine Ziegelmauer – was für ein Sprichwort stellt er dar? Und was ist mit der schönen Frau unten in der Mitte, die mit dem offenen Haar, dem langen purpurroten Kleid mit dem tiefen Ausschnitt, die hinter jemandem steht, ist's ein Mann, ist's eine Frau, und ihm oder ihr einen blauen Umhang über den Kopf zieht? Aus einer Dachluke schaut ein Besen. Auf dem Dach liegen flache Schüsseln, leere und volle. Sind es überhaupt Schüsseln? Über ein Erkerdach beugt sich ein Mann und schießt mit der Armbrust auf die Schüsseln. Warum tut er das? In weiter Ferne ist das Meer. Von einer jungen Frau wird erzählt, die, nachdem sie vom Tod ihres Mannes im Feld Nachricht erhalten hatte, sich auf den Weg gemacht habe zu ihren Geschwistern, die zwei Dörfer weiter wohnten, und erst vierzig Jahre später angekommen sei, da sei bereits der zweite Krieg schon zu Ende gewesen, in dem sei ein Sohn ihrer Schwester und ein Sohn ihres Bruders gefallen. So viel geschieht, und es geschieht nebeneinander, auch wenn es nacheinander geschieht. Wie auf den Bildern von Pieter Bruegel dem Älteren.

Ich habe es probiert. Ein bisschen kann ich malen. Aber ich war nie damit zufrieden. Wäre ich doch eine Musikantin! Die Grundfarben meiner Vorvergangenheit sind fast alle im Bereich von Braun. Ocker. Kuhstallwarm, die Farbe der Kuhställe ist braun. Weich. Oder gefrorene Erde, eisig und eisenhart, überzogen mit einem Eisenhauch von Grau. Mit der Zunge

blieb ich an einem eisigen Morgen im Jänner an der Türschnalle hängen, angefroren, und habe mir ein Stück Haut
abgerissen. Und dann manchmal ein Gewand in einem Blau,
dass einem der Mund offen steht. Verdorrte Wiesen. Unge-
mischtes Rot selten, eigentlich nie. Butteriges Gelb. Dieses
Glück in einem Augenblick der Sonne! Wie beim Fangen-
spiel, als wäre für den Augenblick garantiert, dass man nicht
angeschlagen werden darf. Die Farbe der Gesichter undefi-
nierbar. Von Grün gibt es die ganze Palette, aber eher ver-
steckt ist das Grün. Weiß und Schwarz nur für Josef. Weißes
Gesicht, weißes Hemd, schwarzer Anzug und schwarze Haare.
Ich habe Wasserfarben gemischt, bis sie auf meinem Unterarm von der Haut nicht zu unterscheiden waren.

Die Erinnerung muss als heilloses Durcheinander gesehen
werden. Erst wenn man ein Drama daraus macht, herrscht
Ordnung. »Wie eben das Leben so ist.« Auch ein Spruch meiner Tante Kathe. Wie eben das Leben der Meinigen so im
Besonderen ist. Wir wollten nie etwas Besonderes sein. Auch
meine Großmutter wollte das nicht. Aber wir waren etwas Besonderes. Ich habe mich gebogen vor Scham. Ich glaube, meine Großmutter hatte gar keine Chance, nicht etwas Besonderes zu sein. Sie steht in der Mitte. Die vielen Verstorbenen
liegen ihr zu Füßen. Was aber nicht heißen muss, dass sie allesamt in der Hölle schmoren. »Wir haben alles gehabt, und das
meiste war uns nicht vergönnt.« Auch ein Spruch. Wer ver-
steht den, bitte? Ist das meiste das, was man nicht zu haben
braucht? Diesen Spruch gab meine Tante Kathe ab, zum Beispiel nach einem Abend, wenn Besuch da war, wenn Karten
gespielt worden war und endlich einer vom Tisch aufstand
und sagte, es wird für ihn Zeit, und alle anderen ihm folg-

ten und plötzlich die Stube leer war. Dann stützte Tante Kathe die Handflächen auf den Tisch und sagte: »Wir haben alles gehabt, und das meiste war uns nicht vergönnt.« Und ihr Mann, der ununterbrochen Jähzornige, hat genickt: »Jawohl! Jawoll!!«

Ich befinde mich bei dieser Aufstellung neben meiner stummen Mutter – die, als ich die Erzählung unterbrach, noch nicht einmal im Bauch von Maria war –, auf der Herzseite stehe ich. Neben mir steht meine Tochter Paula, die auch nicht mehr unter den Lebenden ist, sie war die Lebhafteste von uns allen, gleich lebhaft wie meine Großmutter. Lebhaft war vor hundert Jahren eine Art Vorwurf. »Sei nicht so lebhaft!« Das wurde gesagt. »Sie ist halt etwas lebhaft.« Wurde gesagt, als Entschuldigung, ich kann mir vorstellen, dass eine Mutter und eine Schwiegermutter so miteinander geredet haben. »Meine Tochter ist halt etwas lebhaft«, sagt die Mutter zur Schwiegermutter ihrer Tochter, grad, dass sie nicht hinzufügt: »Leider.« Meine Tochter Paula ist mit einundzwanzig Jahren von einem Berg gestürzt und von einem Stein erschlagen worden. Sie begleitet mich jeden Tag und den ganzen Tag, genauso wie meine Mutter, die mit zweiundvierzig starb und uns Kinder zurückgelassen hat, vier waren wir. Ich war gerade elf Jahre alt. Und drei von uns zur Tante Kathe verschoben wurden. Mein jüngerer Bruder zu Tante Irma, die in der Zeit, als ich die Geschichte meiner Großmutter unterbrochen habe, wie meine Mutter auch noch nicht auf der Welt war.

Eine Ordnung in die Erinnerung zu bringen – wäre das nicht eine Lüge? Eine Lüge insofern, weil ich vorspielen würde, so eine Ordnung existiere.

Maria.

Sie ist verzaubert von dem fremden Mann mit dem Namen Georg und weiß doch gar nicht, wie das so weit kommen konnte. Er sitzt auf der Eckbank, einen Ellbogen hat er hinten auf der Lehne abgestützt, so sieht seine Brust noch breiter aus. Ein neues Hemd hat er an. Eines, das noch nie gewaschen worden ist. Oder höchstens ein-, zweimal. Ein Stadthemd. Nigelnagelneu. Dafür hat sie einen Blick. Wenn er so weit schon auf dem Weg war, von Hannover herunter, denkt sie, hat er sich dieses Hemd für besondere Anlässe aufgespart? Und glatt rasiert ist er. Die Männer im Dorf rasierten sich vielleicht zweimal in der Woche oder überhaupt nur am Samstag. Josef jeden Tag. Wirklich jeden Tag. »Ich schwör's dir«, hatte Maria zu ihrer Schwester gesagt. »An manchen Tagen sogar zweimal.« Die Unrasierten, die Bärtigen sehen harmlos aus. Wie alle eben. Josef wollte nicht harmlos aussehen. Und nicht wie alle. Schwarzweiß wollte er aussehen. Schwarze Haare, weißes Gesicht. Sie wusste nicht, woher er diesen Geschmack hatte. Ihr gefiel er, er hatte ihr immer gefallen.

Der Fremde war ein heller Typ, Haare blondrötlich. Er hatte nicht so eine blitzreine Haut wie Josef, da war ein roter Fleck, da ein fast bläulicher, hier ein Fältchen und überall, dünn verteilt, Sommersprossen. Er lacht ganz ungeniert in die Küche hinein. Zeigt auf den Salzstreuer. Ob er den haben kann, für das Butterbrot, fragt er und kaut dabei. Lobt das kleine Ding. Es sieht aus wie ein Männchen, oben Hut, Hände in den Taschen. Das Ding hat Maria von ihrer Schwester. Das Pfefferteil ist verloren gegangen, ein Weibchen. Nichts geht in dem Haus verloren, aber dieses Teil ist verloren gegangen. Salz der Mann, Pfeffer die Frau. Georg boxt Lorenz gegen den

Oberarm. Hält ihm seine Seite hin. Lacht mit vollem Mund. Gemütlich übrigens, wenn einer zu Hause mit vollem Mund spricht und lacht. Lorenz boxt zurück. Ganz ungeniert. Der elfjährige, uralte Heinrich schmunzelt wie ein Pensionist, so riecht er auch. Es ist Maria peinlich, wie ihr ältester Sohn riecht. Nach Stall nämlich und nach altem Schweiß, nach altem Körper. Er könnte sich einen ganzen Tag lang unten am Brunnen Wasser über den Kopf laufen lassen und sich mit der feinen Seife seines Vaters abreiben, er würde immer noch nach Stall und Schweiß und altem Mann riechen. Und so riecht er sein ganzes Leben. Und als ich bei seiner Beerdigung war, meinte ich, das Grab riecht nach ihm, der Kranz, die paar Blumen, der Weihwasserkessel, das Weihwasser.

Katharina senkt die Augenbrauen – findet sie denn gar nichts an dem fremden Mann, was zu kritisieren wäre? Kommt ihr denn gar nicht der Gedanke, was der hier will? Sie mag ihn, ja, das tut sie. Die Katze lehnt sich an seine Waden und boxt mit der Stirn gegen seine Faust. Der Hund leckt ihm die Hand und hält ihm den Kopf hin und bewegt ihn hierhin und dorthin, damit er die richtige Stelle finde, wo er gekrault werden möchte. Und der kleine Walter, der hüpft schon auf seinen Oberschenkeln herum, der lustige Bub, der bis an sein Lebensende jedem einen Bären wird aufbinden können und jeden zum Lachen bringen und niemandem je böse sein wird, nicht einmal seiner Frau, als sie ihn betrogen hat, auch seiner Geliebten nicht, als sie sich für seinen jüngsten Bruder zu interessieren begann, den Sepp, der zu der Zeit, in der die Geschichte spielt, noch längst nicht auf der Welt ist. Mit seinen orangen Haaren würde der Walter glatt als der Bub von dem Fremden durchgehen. Der sagt übrigens nicht Bub, er sagt »Junge«. Ob er Maria bei irgendetwas helfen könne, fragt er. Er weiß gar nicht. Nein, er weiß gar nicht. Was in ihr ist, weiß er nicht. Oder wenn er es doch weiß, nützt er es nicht aus. Ob er noch ein Wasser haben kann. Lorenz drängt sich vor, nimmt sein Glas, läuft hinaus und hinunter zum Brunnen. Der Mann weiß, dass ich mich in ihn verliebt habe, dachte Maria, aber er nützt es nicht aus.

Verliebt, ja, das war sie, und es war besser als das Gefühl zu Josef, ihrem Mann. Sie stellte das für sich fest. Wieder und wieder. Sagen würde sie es nie jemandem. Und was war das schon, dieses Gefühl, es hätte keine Folgen, Georg würde nicht wiederkommen, und sie hätte nichts von ihm. Gefühle verduften, nur in Romanen halten sie angeblich länger, in manchen Romanen angeblich ein ganzes Leben lang.

Als er am Abend ging, legte er seine Hände auf ihre Schultern, noch drinnen im Haus waren sie, es könnte ja sein, dass draußen unten jemand Stielaugen hatte, und er ließ die Hände dort eine Weile lang liegen, streichelte mit dem Daumen die Haut über den Schlüsselbeinen. Er würde sich so ein Gesicht so ohne Weiteres nicht zu küssen trauen, auch nicht, wenn es gestattet wäre, sagte er.

Und am nächsten Tag stand er wieder in der Küche. Gerade rührte Maria Grieß in die Milch. Sie erschrak und schaute ihn an und konnte nicht reden. Die Kinder waren in der letzten warmen Herbstsonne irgendwo um das Haus. Das hatte er abgepasst. Zu tun gab es draußen genug, zu spielen gab es, herzurichten gab es. Der Grießbrei brannte an, aber nur leicht, er war noch zu retten.

»Darf ich auch was davon haben?«, fragte er. »Duftet so köstlich!«

Sie stellte sich vor ihn hin und sagte leise: »Ich hab gedacht, hoffentlich kann ich dich noch einmal sehen.« Es hat keinen Mut gekostet, das zu sagen. Sie waren schon weiter als der Punkt, an dem es mutig gewesen wäre, so zu sprechen. Aber das hatten sie beide vorher nicht gewusst.

Die Kinder arbeiteten draußen und taten, als ob sie arbeiteten, was ist denn Spielen anderes. Aber sie hatten Georg gesehen, wie er über den steilen Weg heraufkam, und es war ihnen normal, obwohl er erst zum zweiten Mal heraufkam. Meine Tante Kathe erzählte mir, das sei wohl so gewesen, weil sie Kinder den Vater eigentlich schon abgeschrieben hätten, schließlich waren zwei von denen, die mit ihm in den Krieg gezogen sind, bereits gefallen, und so hätten sie Kinder wahrscheinlich gedacht, die Mama schaut sich nach einem neuen Mann um, genau könne sie das allerdings nicht wissen, es sei erstens zu lange her, zweitens mehr ein Gefühl gewesen als ein Gedanke.

Und am übernächsten Tag war er wieder da. So früh diesmal, dass einer, der zufällig zugeschaut hätte, wie Georg und Maria nach dem ersten Frühstück vor das Haus traten, meinen hätte können, der Mann sei über Nacht geblieben. Lorenz, der hinter ihnen aus dem Haus trat, hatte noch das Nachthemd an, ein weißes. Es war grad nicht mehr ganz dunkel draußen. Es war der letzte Ferientag, Mitte September. Aber wo in dem kleinen Haus, bitte, hätte ein Fremder schlafen sollen?

Maria zitterte vor Aufregung, und als sich Georg am Nachmittag »endgültig verabschiedete«, sie lehnte mit dem Rücken gegen die geschlossene Tür, und er war ganz nah bei ihr, gürtelaufwärts berührten sie einander, biss sie ihm in die

Hand. Katharina hat es gesehen, sie drückte gerade von innen die Tür auf. Georg fuhr mit der verletzten Hand zum Mund. Ein kurzer Fluch. Dann küsste er Maria. Und sie ließ es. Starr und still und glücklich. Und er konnte nicht damit aufhören. Katharina schaute ihnen zu.

Hätte ich meine Tante Kathe ausgefragt, niemals würde sie etwas erzählt haben. Aber eines Tages, da war sie schon über neunzig, erzählte sie mir. Von sich aus. Mit einem Gesichtsausdruck, als wollte sie auch das noch loswerden, bevor es mitgenommen und nie erzählt würde. Von dem großen Kuss erzählte sie. Und von dem Blut, das dem Mann in den Ärmel rann, als er das Gesicht ihrer Mutter zwischen seinen Händen hielt.

Der Heinrich hat von allem nichts mitbekommen. Er war eins mit den Tieren, wie Lorenz gesagt hatte, nach der Schreibe.

Dem ersten Mann in meinem Leben habe ich, damals kannte ich diese Geschichte noch gar nicht, auch in die Hand gebissen. Er war verheiratet, ich erst siebzehn. Durfte ich so tun, als gehöre er nur mir? Und natürlich wollte ich, dass ich seine Einzige sei. Die Ehefrau gilt nicht. Zählt nicht. Die ist eine Art Schwester. Er redete von ihr wie von einer Art Schwester. Ich fragte nach ihr. »Wie geht es ihr? Ist sie nicht mehr erkältet?« Ich erkundigte mich nach ihr, als hätte ich Sorge um sie. Er war zwanzig Jahre älter als ich, hatte einen amerikanischen Wagen, einen »Schlitten«, ab einer gewissen Größe sagte man »Schlitten« und meinte man, es müsse ein amerikanischer sein. Den parkte er vor unserem Wohnblock.

Meine kleine Schwester, die von mir alles wusste und die

sich kaum noch an unsere Mutter erinnern konnte, schaute aus dem Fenster und rief: »Er ist da!«

Ich stellte mich hinter sie und sah ihn draußen, wie er das Verdeck zurückkurbelte und irgendetwas mit seinem Ärmel von der Flosse des Schlittens putzte. Er hupte nicht. Ich hätte nichts dagegen gehabt. Er wollte das nicht. Er meinte, ich solle die Ohren spitzen und lauschen, ich würde schon hören, wenn er kommt. Hupen, um die Geliebte abzuholen, sei vulgär. Ich kannte das Wort nicht und blätterte im Duden nach. Er machte alles richtig. Er besaß ein Autoradio Marke Blaupunkt, die seien die besten. Ich dachte, ich lasse ihn warten, eine Viertelstunde, eine halbe Stunde, bis sich seine Sehnsucht nach mir ins Verrückte hinaufkatapultiert. Ich war bereit zu allem. Er meinte, das sei ich noch nicht.

Ein halbes Jahr später wartete *ich* auf ihn, in einem Café, drei Stunden, trank Schwarztee, bis sich mein Magen zusammenkrampfte. Ich kam mir schäbig vor. Ich war eine, die wartete. Nur noch wartete. Ich, die geboren war, andere warten zu lassen! Wir waren verabredet. Ich war auf die Minute pünktlich gewesen. Wie jedes Mal in letzter Zeit. Diese Wartespielchen waren mir inzwischen blödsinnig. Er kam nicht. Drei Stunden wartete ich. Am nächsten Tag war ich wieder in dem Café, ich wusste, ich hatte mich nicht im Tag geirrt, aber ein bisschen Trost wollte ich haben und tat, als hätte ich mich im Tag geirrt. Noch einen dritten Tag wartete ich. Diesmal ohne Trost. Die Bedienung sagte, heute geht dein Tee auf meine Rechnung. Mundaufwärts sah sie gut aus, ausdrucksvolle Augen, eine elegante Stirn, der Mund allerdings war hässlich, die Lippen schlaff und nach unten.

»Es hat keinen Zweck«, sagte sie.

Ich kämmte mich nicht mehr, wusch mich nicht mehr, und als Tante Kathe zu mir sagte, ich sehe aus wie eine Schnalle von der Straße, war mir das gleichgültig.

Mein Liebster – so nannte ich ihn in meinen Gedanken, nur dort – tauchte nach einem halben Jahr wieder auf, und ich verzieh ihm, und wir trafen uns jeden Abend. Aber als er irgendwann mit seinem Daumen über meinen Mund fuhr, wonach er sich angeblich so sehr gesehnt habe in seinem »Exil«, da biss ich zu, und wie ein Pitbull Terrier blieb ich an seinem Daumenballen hängen, und er schrie und schüttelte meinen Kopf hin und her. Seine Hand entzündete sich, er ließ sich im Krankenhaus eine Tetanusspritze geben, was nicht nötig gewesen wäre, er wollte mir damit zeigen, dass ich mich wie ein Vieh benommen hatte und dass ein Biss von mir wie der Biss von einem Vieh behandelt werden muss.

»Wie soll ich das meiner Frau erklären?«, jammerte er. »Man sieht ja genau die Zahnabdrücke. Der Arzt hat gesagt, es wird eine Narbe bleiben, die wird genauso aussehen wie die Wunde. Ein Leben lang.«

Ich entschuldigte mich nicht, schlug vor, er solle seiner Frau sagen, er habe sich selbst gebissen. Wer sich entschuldigt, ist schuldig.

»Dann hält sie mich für verrückt! Es beißt sich doch niemand selber von allein!«

Er solle sagen, es sei im Traum gewesen, riet ich, und ich schwöre, ich wollte keinen Spaß machen. Er solle sagen, er habe von einem Wiener Schnitzel geträumt und zugebissen. Das sei lustig, da würde seine Frau sicher lachen.

»Sie wird mir nicht glauben«, jammerte er weiter. »Sie ist jetzt schon misstrauisch. Sie wird meine Zähne mit den

Abdrücken vergleichen! Ich habe völlig andere Zähne als du!«

»So eine ist sie?«, fragte ich, gar nicht zynisch, ich staunte ehrlich darüber. »Eine, die Zahnabdrücke vergleicht?«

Seine Frau wohnte in Schweden, sie hatten ein Kind, das in Paris gezeugt worden sei. Dieses kleine Mädchen hieß folglich Paris und war sieben Jahre alt. Es lebte bei seiner Mutter in Stockholm und konnte angeblich Schwedisch und Deutsch und sei auch sonst überbegabt. Bevor er abgefahren sei, habe sie ihm angekündigt, sie wolle Nietzsche lesen, *Also sprach Zarathustra*, er glaube allerdings, sie meine, es sei ein Roman. Ich kannte den Namen Nietzsche von meinem Vater, und den Titel des Buches kannte ich auch, aber ob es ein Roman oder kein Roman war, das wusste ich nicht. Ich sagte aber nichts. Er sollte nicht denken, ich mit meinen siebzehn Jahren sei nicht schlauer als seine Tochter mit ihren sieben.

»Und trotzdem bin ich zu dir zurückgekehrt«, sagte er.

»Warum trotzdem?«, fragte ich.

Er war zu mir zurückgekehrt. Ich wollte alles glauben, was er mir versprach, obwohl ich ihm nicht wirklich glaubte. Er würde sich von seiner Frau trennen, sagte er, dieser Entschluss sei felsenfest, Scheidung sei zu kompliziert, er wolle schließlich hin und wieder seine Tochter in den Arm nehmen.

Ich sagte: »Wenn du dich eh von ihr trennen willst, dann ist es doch egal, wenn sie weiß, dass ich dich gebissen habe. Vielleicht hat sie dann sogar Sympathie für mich, und es fällt ihr leichter, dich loszulassen.«

Er hatte eine kleine Wohnung in unserer kleinen Stadt gemietet. Ich könne zu ihm ziehen, allerdings sei er oft verreist, wenn mir das nichts ausmache, heiraten müsse nicht sein, heiraten finde er verlogen. Einmal habe er in dieser Art bereits gelogen, das genüge.

Er war mit dem Philosophen Karl Jaspers befreundet. Ich fragte, bist du demnach auch ein Philosoph, und er sagte, er sei auf dem Weg dorthin. Ich wusste damals nicht, wer Jaspers ist. Ich schrieb meinem Geliebten kurze Briefe, die er gernhatte, er sagte, ich hätte eigene Gedanken, das gefalle ihm. Und wie ich sie formuliere, gefalle ihm besonders, ich sei eben etwas Besonderes. Einmal nahm er mich mit nach Basel. Dort lebte der Philosoph, er sei nicht ganz gesund mehr, tue sich mit dem Atmen schwer, aber er freue sich auf uns.

Der Philosoph sah sehr alt aus, und seine Stimme war leise, und er hatte in seiner Aussprache dieses Spitze, was Norddeutsche haben, das für mich immer so klingt, als mache einer einen kleinen Spaß. Ich zitterte vor Scheu. Ich dachte, wenn ich auch nur »Guten Tag« sage, ist etwas falsch daran, und ich werde zurechtgewiesen oder verspottet. Mein Vater war gebildet und las Philosophen, somit wusste ich, was das für mich zu bedeuten hatte, einen solchen zu treffen. Ich setzte mich still auf den Sessel, den man mir zuwies. Mein Freund redete mit dem Philosophen, ahmte dabei seine Sprechweise nach, aus Verehrung. Es ging, wenn ich mich recht erinnere, um »Gegenstandsloses Denken«.

Einmal wandte sich der Philosoph an mich, fragte, wie alt ich sei, und dann sagte er, er kenne mich.

»Nein«, sagte ich, aber so leise, dass er es garantiert nicht gehört hatte.

»Ich kenne einen Satz von Ihnen«, sagte er. Er zog unter seinen Papieren einen Zettel hervor und las:

»Ich möchte wissen, wie du bist und warum so, ich kann

dir nicht trauen, alles, was du sein willst, klingt erfunden, und du aus Fleisch und Blut bist wahrscheinlich ein Betrüger, und was das Schlimmste ist, mir ist das egal ...«

Dieser Satz stand in einem Brief an meinen Geliebten. Also hatte er hergezeigt, was nur für ihn bestimmt war. Der Philosoph schaute mich an und sagte, diesmal ohne den kleinen norddeutschen Spaß in der Stimme:

»Trinken Sie den Tee, bevor er kalt wird.«

Wir blieben nicht lange. Der Philosoph wurde müde, und wir verabschiedeten uns. Morgen Abend werde eine Party stattfinden, wo ich interessante Menschen treffen könne, ich solle kommen. Es könnte wichtig werden für meinen Lebensweg.

Die Party fand in einer Wohnung statt, die war vollgestopft mit Büchern und Menschen, alle mindestens dreimal so alt wie ich, die Bücher noch viel älter, viermal so viele Männer wie Frauen. Ich stand an der Wand.

»Trink nicht und rauch nicht, versprich mir das!«, sagte mein Geliebter, und schon war er mitten unter den Leuten. Ich schaute mich nach dem Philosophen um. Keine Spur von dem alten Mann, der mir meinen Satz geklaut hat.

Eine Frau trat auf mich zu, sie trug das Haar im Afrolook, was damals ein Statement war, und roch süßlich, ich wusste nicht, wonach, heute weiß ich es, Patschuli, was auch ein Statement war. »Komm«, sagte sie, »ich mach dir einen Kakao.«

Ich ging treppauf mit ihr in ein kleines Zimmer. Da war es warm, sie drückte mich auf ein Sofa und deckte mich zu, weil ich so verfroren aussehe.

»Gut, dass du nicht rauchst und nicht trinkst, lass dich

nicht verderben.« Dann sagte sie den Satz, den ich ihr geklaut und auf meine Großmutter gemünzt habe: »Du hast wahrscheinlich keine Chance, nicht etwas Besonderes zu sein.«

Der Kakao war sehr heiß und sehr süß, sie setzte sich an meine Seite.

»Wie lange bist du schon mit ihm zusammen?«, fragte sie.

Ich sagte, das sei schwer zu beantworten, weil es zwischen unseren Treffen immer wieder lange Pausen gebe.

»Du weißt, dass er verheiratet ist und ein Kind hat, das blödsinnigerweise Paris heißt?« Sie wartete meine Antwort nicht ab. »Lügen tut er ja merkwürdigerweise nicht. Eine so Unschuldige wie dich hat er meines Wissens noch keine gehabt.«

»Sie kennen mich doch überhaupt nicht«, sagte ich.

Sie brachte mich zur Bahn, noch in derselben Nacht, schubste mich auf dem Kopfsteinpflaster vor sich her, es ging bergab, sie kaufte mir eine Fahrkarte, hielt sie mir vors Gesicht. Und schrieb auf die Rückseite eine Telefonnummer.

»Wenn du schwanger bist, ruf hier an«, sagte sie. »Verlang mich. Heidrun. Ich schreib's dazu. Den Namen merkt man sich nicht.«

Zu Hause hatte sich nur meine kleine Schwester Sorgen um mich gemacht. Ich war immerhin zweieinhalb Tage weg gewesen. Sie lag in meinem Bett, trug meinen Pyjama und schrieb in mein Heft. Sie hatte sich schon gedacht, ich komme nie wieder und sie müsse ab jetzt ich sein. Später, als wir beide Frauen waren, sagte sie, das wäre sie gern gewesen.

Ich weiß nichts von den Träumen meiner Großmutter ... –
Nur eines erbte ich von der schönen Maria: ihr Musterbuch.
Tante Kathe hatte es mir gegeben, eine Hand daraufgelegt, als
müsste sie es noch segnen. Der Schwager, Kaspar, der Weltge-
wandte, hatte es aus Wien mitgebracht, er hatte die Vorstellung, in Bregenz eine Weberei zu eröffnen, die erste im Land,
und bis weit nach Osten in die Hauptstadt die Stoffe zu ver-
kaufen. Das war noch vor dem Krieg gewesen. Maria liebte
Stoffe, so wie ich, sie konnte, ich kann die Fingerkuppen nicht
stillhalten, wenn Seidenbatist, Tüll, Samt, Taft, Voile vor ihr
lag, vor mir liegt. Und sei es auch nur in einem Musterbuch in
kleinen Vierecken, so groß wie eine Kinderschultasche. Als
meine Mutter geboren wurde, lag meine Großmutter bei ihrer Schwester in einem weichen Bett, die Schwester war bei
der Hausgeburt dabei gewesen und hatte meine Mutter notgetauft, da lag also Maria an die Kissen gelehnt, die winzige
Margarethe, Grete, in einer Nussschale neben ihr. Maria war
Schneewittchen, schwarz wie Tinte, rot wie Blut, weiß wie
Schreibpapier. Der Schwager brachte ihr das Musterbuch, immer hatte es Maria bei ihren Besuchen bewundert. Er sagte, es
sei ein Geschenk an sie. Maria führte ihre Fingerspitzen über
die kostbaren Vierecke und träumte. Weg von allem träumte
sie sich, weg von der Familie, den Kindern. Dabei hätte sie
kein schlechtes Gewissen, so sehe ich sie, so denke ich es mir
aus. Als wäre die Familie nie da gewesen. Als wäre sie in Wien
geboren oder in Berlin, in Städten, wo eine wie sie auffallen
würde. Ihr Schwager hatte Bücher mit Bildern aus Wien und
Berlin, die sah sie sich gern an. Sie träumte sich in die Oper,
blickte von einer Loge herunter in den Zuschauerraum und
bemerkte, wie man über sie tuschelte. Sie war die Schönheit,

über die geredet wurde. Damen waren zu sehen, und sie war eine unter ihnen. Sie trug ein eisblaues Kleid, so eisblau, wie der harschige Schnee war, wenn die Sonne daraufschien, es blinkte, und sie hatte Augen so leuchtend, wie es die Damen in Romanen haben. Ihre Finger, die vom Wäschewaschen verdorben waren, würde sie unter Handschuhen aus Atlasseide verbergen. Oder nein, sie hätte ja gar keine verdorbenen Finger! Sie wäre ja die in der Stadt Geborene. Hätte sie einen Kavalier an der Seite? Würde das Wort »Kavalier« in den Ohren der Stadtdamen klingen wie in ihren Ohren? Oder würden die Stadtdamen über das Wort lachen. Ihr erträumter Kavalier glich einmal Josef, dann wieder Georg, vornehmer war Josef in seiner Schwärze, aber ihr Herz pochte für Georg. Josef in einem Frack wäre der schönste Mann in der Oper. Die Blicke würden an ihm haften. Im Traum darf der Mensch ein Egoist sein. Sie wollte die Bewunderung mit niemandem teilen. Sie wollte bewundert werden, nur sie. Also sah sie Georg an ihrer Seite. Sie könnte ihn zärtlich »mein Fuchs« nennen, wegen seines Humors und seiner Farbe. Mit einer Kutsche führen sie nach Hause in die Stadtwohnung, und in ihrer Aufregung fiele das Schampanierglas um. Sie wusste nicht einmal, wie man »Champagner« schreibt. Georg zöge ihr das Kleid über den Kopf, ihr wäre schwindelig vom Alkohol, und Georg ließe ihr ein Bad einlaufen. Es wäre wie Orient. Sie wäre nicht verdorben. Stiege sie aus dem Dampf, sähe es aus, als käme sie direkt aus einer Wolke. Georg würde sagen: Nie habe ich etwas Schöneres in der Welt gesehen. – Ein Traum, eine Minute, und schon nicht mehr geglaubt. Ich, die ich den Traum ausdenke und niederschreibe, glaube länger daran als Maria. Ich weiß nichts von den Träumen meiner Großmutter.

Dann war Georg doch noch einmal gekommen. Aber diesmal hatte er Maria nicht getroffen. Lorenz hatte ihn beim Brunnen unten abgefangen. Er hatte dort an seiner Erfindung gearbeitet, er wollte Georg davon berichten.

Das Problem mit dem Wasser nämlich. Der Brunnen war ein Stück unterhalb des Hauses und gehörte ihnen eigentlich gar nicht. Nur hatte sich der, dem er gehörte, nie gemeldet. Der Bach floss vom Berg herunter, und jemand hatte, bevor Josef und Maria in das Haus gezogen waren, eine Holzrinne gelegt, über die wurde Wasser aus dem Bach abgezweigt und in eine betonierte Wanne geleitet, die war gut eineinhalb Meter breit und ebenso lang und einen knappen Meter hoch und wahrscheinlich für das Vieh gedacht gewesen. Josef hatte einen Deckel aus Brettern zusammengenagelt. Das letzte Stück der Rinne war beweglich, sodass sich das Wasser entweder in die Wanne oder neben die Wanne leiten ließ. Wenn man sich in die Wanne kniete, konnte man sich das Wasser über den Kopf fließen lassen. Es war allerdings sehr kalt. So wusch sich Josef jeden Tag. Nackt von Kopf bis Fuß. Auch im Winter, solange der Bach nicht zugefroren war. Das Wasser, das im Haus benötigt wurde, musste in Kübeln hinaufgetragen werden. Das tat niemand gern. Lorenz wollte etwas erfinden. Schon auch, um der Mutter, den Geschwistern und sich selber das Leben leichter zu machen, vor allem aber, weil ihm solche Gedanken Freude bereiteten: Wie kann es gehen? Er hatte ja bei seiner Tante gesehen, wie angenehm es war, Wasser im Haus zu haben und Strom.

Als Lorenz so am Brunnenrand saß und in den Himmel sinnierte, sah er Georg den Schotterweg heraufkommen. Er lief ihm entgegen, und als sie gemeinsam beim Brunnen waren, hatte Lorenz schon von seiner Idee berichtet: Eine Art Seilbahn mit Haken daran, in die Kübel mit Wasser gehängt werden können. Beim Brunnen unten ist einer, der die Kübel füllt, oben ist einer, der an einer Art Kurbel dreht.

»Wenn man ›eine Art‹ sagt, weiß man nicht genau, wie«, war Georgs Kommentar.

Da schwieg Lorenz.

»Mach eine Zeichnung«, sagte Georg.

Lorenz schwieg weiter.

»Sei nicht gekränkt«, sagte Georg, und er sagte, er sei gekommen, um sich endgültig zu verabschieden. Aber er mache ihm einen Vorschlag: Wenn der Krieg vorbei sei und alles gut sei und der Vater heil zurück sei und er, Lorenz, ausgeschult sei, ob er dann nicht zu ihm nach Hannover kommen wolle. »Ich werde mir etwas Gutes für dich einfallen lassen. Leute wie du müssen in die Stadt. Dort werden sie gebraucht. Wer braucht hier auf dem Land einen, der Ideen hat?«

Georg zog aus seiner Tasche einen Lederbeutel und überreichte ihn Lorenz. »Versteck ihn«, sagte er, »und sollte deine Mutter Schwierigkeiten haben, gib ihn ihr.«

»Was ist mit deiner Hand?«, fragte Lorenz.

Georg hatte sie verbunden. Katharina hat ja niemandem erzählt, was sie gesehen hatte. Weil sie es nicht deuten konnte. Warum beißt die Mama dem Mann in die Hand? Warum tut sie das? Sie mag ihn doch. Alle mögen ihn. Man beißt doch jemanden nicht, wenn man ihn mag.

»Das ist das wenigste«, sagte Georg. »Das heilt.«

Dann war er eine Weile ratlos dagestanden, hatte zum Haus hinaufgeschaut, hatte die gesunde Hand in den Wasserstrahl gehalten und gesagt, das sei aber ordentlich kalt. Es war aber beim Haus oben niemand gewesen. Er hatte noch einmal tief durchgeatmet und war davon.

Mein Onkel Lorenz hatte Respekt, er behielt den Beutel bei sich, verbarg ihn unter seinen Sachen, fragte sich bei jeder Schwierigkeit, in die seine Mutter geriet, ob es jetzt an der Zeit wäre, und öffnete den Beutel erst, als sie und auch der Vater gestorben waren. Es war aber kein Geld in dem Beutel, auch kein Gold, von außen fühlte es sich nämlich so an. Eine Handvoll schöner Steine war darin, ein großer Bergkristall, ein halbes Dutzend Muscheln und eine Meeresschnecke. Dazwischen ein vielfach zusammengefaltetes Blatt Papier. Darauf stand: »Mein Lieb.«

Lorenz berichtete seiner Mutter und sagte, Georg komme nun nicht mehr wieder, er habe es ihm ausdrücklich und wörtlich genau so gesagt und habe ihn ausdrücklich gebeten, er solle es ihr weitersagen. Da wartete sie, bis es Nacht war und die Kinder schliefen, dann trank sie den Schnaps, der dazu da war, um Wunden auszuwaschen, die ganze Flasche trank sie. Katharina fand sie am frühen Morgen und dachte, sie sei tot. Sie rannte, wie sie war, mit aufgelösten Haaren, im Nachthemd, im Dunkeln, barfuß, hinunter zum Bürgermeister, schlug mit beiden Fäusten gegen die Haustür und schrie, es sei das Allerschrecklichste passiert.

Der Bürgermeister hob Maria auf seine Arme und trug sie hinunter zum Brunnen. Dort zog er sie aus, setzte sie in die Betonwanne und ließ das kalte Wasser über sie laufen, bis ihre Haut blau war. Er trocknete sie mit seinem Hemd ab und trug sie nackt ins Haus zurück. Er wickelte sie in eine Decke und legte sie aufs Bett. Dann wartete er zusammen mit Katharina, bis es hell wurde. Das Kind und der Mann saßen in der Küche, die Tür zum Schlafzimmer blieb offen. Heute brauche sie nicht in die Schule zu gehen, sagte er. Auch Lorenz und Heinrich nicht. Er schickte Katharina hinunter ins Dorf zu seiner Frau. Sie solle kommen und ein kräftiges Frühstück mitbringen für alle. Vor allem Bohnenkaffee. Gemahlen.

Aber es war noch nicht zu Ende. Die Verzweiflung war noch nicht an ihrem Ende, sodass man sich fragte, woher nur könne so viel Verzweiflung kommen.

Wie ist das mit den Hintergedanken? Sie sind da und warten, bis sie an die Reihe kommen. Sie sind geduldig, aber sobald sie die Lücke erkennen, springen sie in das Hauptgeschehen und verändern alles. So würde es kommen, hatte es sich Georg gewünscht: Kehrte der Mann der schönen Maria nicht mehr aus dem Krieg zurück, er, Georg, würde die gesamte Familie übernehmen und ihnen ein braves Oberhaupt sein. Und mit allen zusammen nach Hannover ziehen. Alle nacheinander zuerst fragen, ob auch wirklich jeder das will. Und wenn nicht, dann nicht. Dann hierbleiben. Ein Diktator war er nicht. Aber nicht in dem kleinen Haus am Ende des Tals bleiben, dort nicht, dort mit Sicherheit nicht. Es wird sich etwas anderes finden. – Das waren Georgs Hintergedanken gewesen.

Lorenz ahnte diese Hintergedanken. Er schob sie aber weg. Er hatte den Mann gern, wirklich gern, er konnte sich leicht vorstellen, den ganzen Tag mit ihm zusammen zu sein. Das hatte er sich bei seinem Vater nicht vorstellen können. Lorenz redete gern, sein Vater nicht. Ein Mensch, der sich jeden Tag, auch im Winter, das Wasser über den nackten Körper laufen lässt, der war nicht wie die anderen. Und wenn so ein Mensch fast nie etwas sagt, dann konnte sich sein Sohn nur wenig unter ihm vorstellen. Er konnte sich nicht einmal vorstellen, dass er die Mama lieb hat. Bei Georg konnte er sich das gut vorstellen. Lorenz hielt Gewissenserforschung: Ist mir der Vater auch so lieb wie der Georg. Hat der Vater je mit ihm über eine Erfindung gesprochen? Hat er eben nicht. Und würde es nie tun.

Das alles blieb im Verborgenen.

Was sich im Verborgenen abspielte, war stärker als das Wirkliche. So hatte Maria nicht gesehen, dass Georg noch einmal gekommen war. Lorenz hatte aber so ein Gesicht gemacht. Stumm. Ein Gesicht hat er gemacht, als ob er etwas verheimlicht. Sie hatte ihn gelöchert, und er hatte es zugegeben. Da raste die Mutter. Sie fegte das Geschirr vom Tisch, und in der Nacht, als sie allein war, trank sie die Schnapsflasche leer. Und fiel auf den Küchenboden. Und Katharina hat ihre Mutter gefunden. Und so weiter, ich hab's ja schon erzählt. Eigentlich müsste ich diese Geschichte dreimal hintereinander erzählen. Meine Tante Kathe, als sie endlich erzählte, hat es so gemacht: Sie hat die Geschichte durcherzählt, dreimal hintereinander, wortwörtlich gleich, angefangen bei Lorenz unten am Brunnen, wie er Georg heraufkommen sieht, dann wie Lorenz vor der Mutter ein Gesicht macht, wie ihn die Mutter löchert, wie sie rast, wie sie in der Nacht die ganze Schnapsflasche leer trinkt und wie sie, Katharina, ins Dorf hinuntergerannt ist zum Bürgermeister und dann gleich noch einmal zur Frau des Bürgermeisters. Sie erzählte die Geschichte in einem Singsang bis zum Schluss, erzählte, wie der Bürgermeister die nackte Mutter vom Brunnen heraufgetragen und aufs Bett gelegt und mit Decken zugedeckt und wie er sie, Katharina, ins Dorf hinuntergeschickt hat zu seiner Frau, dass sie mit Kaffee komme. Und als meine Tante durch war, hat sie noch einmal von vorne angefangen, ohne einen Punkt zu machen, und das dreimal hintereinander. Kein Kommentar. Ich sollte mir meinen Teil allein dazu denken.

Dass nämlich Maria von diesem Tag an nicht mehr leben wollte. Und dass, wenn sie gestorben wäre, es mich nicht gäbe, denn die Grete, meine Mama, war noch nicht geboren. – Das sollte ich mir dazu denken.

Als Maria wieder nüchtern war, schämte sie sich. Sie hielt die Augen geschlossen. Sie dachte an eine Ausrede. Sie wollte sagen, sie habe geträumt, Josef sei von einer Kugel getroffen worden, und da sei sie für einen Augenblick wahnsinnig geworden, und aus Wahnsinn heraus habe sie den Schnaps getrunken. Aber das wäre alles sehr dumm. Deshalb hielt sie die Augen geschlossen und stellte sich tot, ließ ihren Atem lange aus, bis es nicht mehr ging. Das Gesicht des Bürgermeisters war über ihr, sie roch die Pfefferminze. Er strich ihr über die Wangen.

Der kleine Walter, Lorenz und Heinrich standen am Bett.

»Einer muss nach dem Arzt rufen«, sagte der Bürgermeister, »der muss sie anschauen, wahrscheinlich hat sie eine Vergiftung. Er muss ihr das Zeug aus dem Magen und den Därmen holen.«

Der Heinrich soll der Katharina nach ins Dorf laufen und dem Postadjunkt sagen, er soll den Doktor anrufen. Das habe er in der Aufregung ganz vergessen der Katharina zu sagen.

Heinrich zog den Kopf ein und reagierte nicht, er hatte Angst, er könnte etwas falsch machen.

Lorenz trat vor: »Ich gehe«, sagte er und zum Bürgermeister: »Aber bleib du bei ihr!«

»Das versprech ich dir«, sagte der Bürgermeister, als wäre der Lorenz ein Erwachsener, als wäre er sein eigener Vater.

Lorenz kannte Betrunkene aus dem Dorf, allesamt Männer, die am Wochenende herumtorkelten und hinfielen und oft bis zum nächsten Morgen liegen blieben, wo sie hingefallen waren. Aber ob das eine Frau aushält? Sein Vater war nie bei denen dabei gewesen. Der Vater trank keinen Alkohol. Lorenz wusste, es gab ein Gerücht, dass einmal eine Frau übergeschnappt sei, die habe sich in der Jauchegrube mit ihrem neugeborenen Kind ersäuft. Vorher habe sie eine Flasche Schnaps ausgetrunken. Die Mutter hatte damals über sie gesagt, die arme Frau, die hat das alles nicht mehr ausgehalten. Es gab auch die Redewendung: »Hat's dich?« Das sagte man, wenn einer etwas tat, was man ihm nie zugetraut hätte. »Es hat einen.« Was hat einen? Als ob ein Tier einen hätte. So klang das. Hat es die Mutter gehabt?

Den Heinrich schickte der Bürgermeister aus dem Haus. »Und nimm den Walter mit. Der braucht das nicht mitansehen! Geh mit ihm. Geh mit ihm eine Stunde den Berg hinauf und dann noch eine Stunde!«

Der Arzt kam erst am Abend. Er sagte, das wird schon. Weiter sei ja nichts. Nur ein Vollrausch.

Die Mutter brauchte Ruhe zum Gesundwerden, und die Kinder verrichteten ihre Arbeit. Der Bürgermeister besuchte sie jeden Tag, bis sie wieder Farbe im Gesicht hatte. Das dauerte viel länger, als wenn es nur ein Vollrausch gewesen wäre.

Der Bürgermeister hatte den fremden Mann beobachtet, wie er dreimal zu dem Haus der Maria gegangen war. Ob es sonst noch jemand beobachtet hatte, wusste er nicht. Der Postadjunkt vielleicht. Der würde niemandem etwas sagen. Er würde nichts sagen, was der Maria schaden könnte. Wenn der Bürgermeister Maria besuchte, setzte er sich in der Küche ihr gegenüber, sie war immer noch sehr blass. Er sah sich im Vorteil, er schaute Maria an wie nie zuvor, er strich ihr über den Hals, was er zuvor in dieser Art nie getan hatte, er griff ihr ins Haar, wickelte das Haar um seine Hand und zog sie an sich, das war alles neu. Maria ließ sich das alles gefallen.

Der Bürgermeister sagte: »Maria, willst du dich nicht wieder einmal waschen, du warst doch immer so sauber, und die Sachen waren immer so weiß.«

Ihre Bluse hatte Flecken, die Hemden der Kinder waren lange nicht mehr gewaschen worden. Den Boden kehrte Katharina, das Geschirr wusch und versorgte Lorenz, im Stall war wie immer Heinrich, aber im Großen und Ganzen sah alles übel aus.

»Wer? War? Dieser Mann?«, fragte der Bürgermeister. Und weil sie nicht antwortete, fragte er noch einmal. Dann lärmte er und holte mit der Hand aus, er traf in die Luft, er wollte in die Luft treffen und so tun, als hätte er den Mann getroffen. Der Bürgermeister war kein Schläger. Aber er erkannte das Problem.

»Hat er dich belästigt?«

Maria antwortete nicht.

»Hast du es gerngehabt, von ihm belästigt zu werden?« Und wechselte in eine andere Anrede. Als wär er eine Amtsperson, jetzt hier, im Haus der Maria. »Ob sie es gerngehabt hat?«

Der Bürgermeister war von Josef gebeten worden, auf

Maria zu achten, und er hatte es versprochen, und so stellte er sich das vor.

»Erklär mir«, sagte der Bürgermeister und strich nun Maria nicht mehr zärtlich über die Wange, sondern packte sie an der Schulter. »Erkläre sie mir, die Situation!«

Und als sie wieder nichts antwortete, brüllte er sie an, und er sprang auf und vergaß alles, was ihm seine eigene Mutter an Anstand beigebracht hatte: »Und lüg mich nicht an, du! Jetzt platzt mir die Geduld, du! Jetzt endlich durchschaue ich dich! Armer Josef! Alles ist bei dir Lüge! Immer ist alles bei dir Lüge! So viel Lüge, man könnte sich davon ein Auto kaufen und im ganzen Tal damit herumfahren, ein schwarzes Mobil mit einer Schweizer Nummerntafel, und jeder würde denken, es gehört einem Schweizer Millionär. War es ein Schweizer? Sag! Ob es ein Schweizer war, frag ich! Hat er Geld abgelegt? Zeig's her! Die raffen jetzt alles, drücken sich vor allem und raffen jetzt alles!«

Und der Bürgermeister rüttelte weiter an den Schultern von Maria, griff ihr die Schultern und den Rücken ab. Sie drückte die Hände vors Gesicht und weinte, und das machte den Bürgermeister noch verrückter.

»Nach weinst du ihm also? Das sagt mir alles! Sie weint ihm nach, das sagt mir alles!«

Am nächsten Tag kam der Bürgermeister wieder den Berg herauf, klopfte und sagte durch den Türspalt, es tue ihm leid, Maria solle ihm doch bitte verzeihen, er habe alles vergessen, was ihm seine Mutter an Anstand beigebracht hatte, aber das doch nur, weil er sich so viel Sorgen um sie gemacht habe.

Meine Großmutter erholte sich. Sprach nicht über Vergangenes. Schien der Mond ins Zimmer, lag sie wach und dachte an Georg. Wie tief hatte er Wurzeln in ihr Herz gegraben! Das Verlangen konnte ihr niemand nehmen, weil die Gedanken frei sind. Sie kannte keinen, dem sie vertraute. Der Bürgermeister kam täglich und sagte, er schaue nach dem Rechten. Es war ihm nicht gelungen herauszufinden, wer der Mann war. Lorenz hatte ihm gesagt, der Mann stamme aus Hannover und heiße Georg, mehr wisse er nicht. Die Mutter habe ihn am Markttag kennengelernt. Auf die Frage, wie oft er Maria besucht hatte, sagte Lorenz, er wisse nur von zwei Mal.

Ein Brief kam von Josef, in dem er einen Fronturlaub ankündigte.

Zwei seiner Kameraden waren gleich zu Anfang gefallen. Zwei von denen, die später eingezogen worden waren, ebenfalls. Vier Tote aus dem Dorf. Das war den Ehefrauen respektive den Müttern brieflich mitgeteilt worden. Der Pfarrer hatte über die Toten in der Kirche gepredigt. Lorenz hatte zu seiner Mutter gesagt, man erwarte diesmal, dass sie in die Kirche gehe, wo sie bei den ersten Toten ja nicht erschienen sei. Maria und die Kinder setzten sich hinten in eine Bank, auch Heinrich, Lorenz und Walter, alle auf der Frauenseite. Den Brief von Josef hatte sie bei sich in der schönen Handtasche, die er ihr geschenkt hatte, die mit den Muscheln an den Säumen und der Schnalle aus Perlmutt. Als wäre der Brief eine Garantie fürs Überleben. Nicht ein einziges zärtliches Wort stand darin. Aber sie wusste, wie sie das nehmen sollte.

Was wusste Maria von ihrem feschen Soldaten? Nichts. Was wusste sie über den Krieg? Fast nichts. Außer, dass die Frauen zu Hause Angst hatten. Man hatte ja damit gerechnet, dass die

Männer bereits im Herbst wieder zu Hause sein würden. Und dann waren zwei schon am Anfang des September tot und dann noch zwei bis im November. Dachte Maria an ihren Mann, fiel ihr sein Drang zur Sauberkeit als Erstes ein. Er würde im Dreck unglücklich sein. Dass man sich im Krieg nicht jeden Tag Wasser über den Kopf laufen lassen konnte, das war klar. Und immer das gleiche Hemd und sicher kein weißes. Und hart wie Schmirgelpapier. Und ob er sich die Zähne putzen könnte? Ob so einer wie ihr Mann, so ein sauberer Mensch, ausgelacht würde, wenn er der Sauberkeit hinterher war? Sie konnte sich nicht vorstellen, dass Josef ausgelacht werden würde. Ob er auch im Feld die Zähne mit Salz putzte? Seine Kollegen, wie sahen sie denn aus, wie stanken sie? Keine frische Unterwäsche. Kein Stück von der guten Waschseife, die nach Zitrone roch und die nur über den Bürgermeister zu beziehen war. Aber vom Bürgermeister wollte sie sich nichts erzählen in ihren Gedanken. Er hatte ihr die Bluse aufgeknöpft, elf Knöpfe, um an ihren Busen heranzukommen, und dabei hatte er ihr vorgesponnen, wie es wäre, wenn Josef von dem Mann aus Hannover erführe. Und Maria hatte die Augen geschlossen und abgewartet. Je eine Hand hatte er auf ihre Brüste gelegt. Und dann hatte er in den Bund ihres Rocks gegriffen, nicht tief, weil sie geblinzelt hatte. Das hatte genügt. Geblinzelt, und der Bürgermeister war erschrocken, hatte die Hände hinter seinen Rücken gerissen. Wie viel, dachte Maria, muss ich mir gefallen lassen, damit unser Leben durch seine Gaben erleichtert wird und er den Mund hält.

Geschichte heißt: Es ist vorbei. Josef würde sich stumm zu ihr ins Bett legen, und sie würde sich auf ihn setzen und dar-

auf warten, bis er fertig war. Josef, Vater ihrer Kinder, bis zu ihrem Tod würde sie bei ihm bleiben, und, was sie nicht wusste,
lange Zeit würde das nicht mehr sein.

Er war nicht im Feld. In den Bergen war er. Seine Schlachten
fanden in den Bergen statt. Dort haben sie sich Höhlen gegraben, in Italien. Sie haben im Berg gewohnt wie in Häusern.
Tische waren da, Bänke, Pritschen, Vorhänge, wenn einer allein sein wollte mit sich selbst. Gezogen hat es. Wie Kamine
waren die Höhlen. Und ein Lärm war fast immer. Und die
Sauhundereien in den Gesprächen, die waren ihm auf die
Nerven gefallen, daran beteiligte sich Josef nicht, hatte er nie,
auch zu Hause nicht.

Geld hatte er verdient, »im Feld«, in den Bergen. Womit
und wie, sagte er nicht. Er legte einen Packen Banknoten vor
Maria auf den Küchentisch. Eingewickelt in eine Unterhose.

Er wollte warmes Wasser und Seife, erst dann würde er sich
zu seiner Frau legen. Maria breitete ein Handtuch auf dem
Küchenboden aus, darauf stellte er sich. Zuerst schrubbte er
sich mit dem heißen Wasser ab, Maria schrubbte seinen Rücken, dann schnippte er sich Fußnägel und Fingernägel und
feilte sie, dann rasierte er sich und schäumte sich noch ein
zweites Mal ein und rasierte ein zweites Mal darüber. Die
Haare waren frisch geschnitten, extra für den Urlaub, wenigstens das funktioniere im Feld. Das und noch ein paar andere
Sachen. Auf einmal redete Josef drauflos. Aber nur eine kurze
Weile. Als hätte man den Wasserhahn aufgedreht und gleich
wieder abgedreht. Er zog sich das Handtuch über die Schultern und lief nackt und barfuß zum Brunnen hinunter und
setzte sich in die Betonwanne, an Allerheiligen hatte es ge-

schneit, und der Schnee war an manchen Stellen liegen geblieben. Kälte hatte ihm nie etwas ausgemacht.

Im Bett, nah bei seiner Frau, fiel es Josef schwer, nicht an die Männer zu denken, die zwei aus dem Dorf, die erschossen worden waren, er hatte auch erst jetzt, von Maria, davon erfahren und von den nächsten zwei auch. Sie waren nicht zusammen gewesen, die aus dem Dorf und er. Der eine war dorthin gebracht worden, der andere dorthin, bereits einen Tag nachdem sie das Dorf verlassen hatten, waren sie getrennt worden. Die Hüte hatten die Köpfe überlebt. Bereits vier also waren tot.

Sein Körper war kalt. Als wäre bis tief drinnen nichts Warmes, als wäre sogar das Blut im Herz kalt. Er war der Übriggebliebene, er sollte ein schlechtes Gewissen haben. Sagte er. Viel mehr sagte er über den Krieg nicht.

»Und hast du?«, fragte sie.

»Wenn's nach mir gegangen wäre, würde es den Krieg nicht geben«, sagte er. Aber er wisse, dass alle im Dorf ein schlechtes Gewissen von ihm erwarteten.

»Woher weißt du das?«, fragte sie. Sie jedenfalls habe nie etwas in dieser Richtung gehört.

Das sei im Feld so diskutiert worden, antwortete er. Dann sagte er: »Ob ich überlebe, ist ja nicht abgemacht. Du hast recht. Ich brauche kein schlechtes Gewissen zu haben, bevor nicht endgültig abgerechnet ist.«

Dazu sagte sie lieber nichts.

»Warum heißt es eigentlich ›im Feld‹?«, fragte sie und wusste selbst nicht, warum sie das fragte, es interessierte sie nämlich gar nicht.

»Das haben sich die oben so ausgedacht«, sagte er. Man

sage ja auch »gefallen«, als ob das Sterben da draußen ein bloßes Hinfallen wäre. Einfach nur hinfallen habe er zumindest niemanden gesehen. Er könnte Sachen erzählen, wie man da draußen stirbt. Keine Rede von einem bloßen Hinfallen. Wie man nur auf so einen Blödsinn komme! Wieder war es, als hätte einer den Wasserhahn aufgedreht. Zuerst gestanden, dann gefallen. So ein Blödsinn. Die meiste Zeit, wenn geschossen werde, liegt man, und wenn einen etwas trifft, bleibt man eben liegen. Und schon war der Wasserhahn wieder abgedreht. Solche Redesalven war Maria bei ihrem Mann nicht gewohnt. Das beunruhigte sie. Es war für sie ein Zeichen, dass er anders geworden war. Sie bangte, was noch alles anders geworden sein könnte bei ihm.

Sie dachte, das schlechte Gewissen macht, dass sein Körper so kalt ist. Sie schmiegte sich an ihn, rieb seinen Rücken, sein Hintern drückte gegen ihren Schoß.

»Ich krieg dich einfach nicht warm«, sagte sie.

»Ich friere nicht«, sagte er.

Wenn man diesen Wahnsinn einmal gesehen habe. Wenn man das Lazarett einmal gesehen habe. Jeder wolle ins Lazarett. Weil sich jeder denkt, dort gibt's Betten mit frischer Wäsche. Und eine Badewanne. Eine Badewanne! Und Duftseife. Duftseife! Aber wenn einer erst einmal dort sei, wolle er lieber zurück ins Feld. Dagegen sei es in ihren zugigen Höhlen direkt gemütlich. Wenn man einmal den Gestank im Lazarett gerochen habe. Wenn man die Arme gesehen habe und die Beine. Die herumliegen. Als hätte sie einer vergessen. Die liegen einfach herum. Und noch andere Sachen liegen herum.

»Was liegt herum?«, fragte sie.

»Das willst du nicht wissen«, sagte er.

»Dann müssen wir ja nicht darüber reden«, sagte sie.

»Ja, lieber nicht«, sagte er.

Sie schwiegen. Als gäbe es nichts anderes, worüber sie hätten sprechen können. Er hatte noch nicht einmal nach den Kindern gefragt. Und wenn sie recht überlegte, hatte er sie noch nicht einmal angesehen.

Sie sagte: »Den Kindern geht es gut.« Als ob er danach gefragt hätte.

»Ja«, sagte er.

Lorenz hatte ihm die Hand gegeben, wie einem Fremden. Heinrich hatte es Lorenz nachgemacht. Nur Walter und Katharina waren ihrem Vater in die Arme geflogen. Katharina wollte mit ihm gleich das Fadenspiel spielen, sie spannte sich einen zusammengebundenen Spagat zwischen die Finger und sagte, er solle abnehmen. Maria zeigte ihm, wie man es macht, und er machte es. Hatte den Rucksack noch auf dem Rücken und die Stube noch gar nicht betreten gehabt.

»Die abgetrennten Gliedmaßen«, sagte er.

»Lieber nicht«, sagte sie.

Aber er sprach weiter, war immer noch kalt, nur die Hände, die wärmten sich allmählich, die hatte er zwischen ihre Beine gelegt, er streichelte ihre Schamhaare.

»Die Angeschossenen ... einmal am Abend hatten sie gemeinsam ein Lied gesungen ... stell dir das vor ... jedem hat etwas gefehlt ... einem der halbe Kiefer ... dass der noch singen hat gekonnt ...« Da habe er wieder hinaus ins Feld wollen.

»Warum warst du denn im Lazarett, um Gottes willen?«, fragte sie. »Du bist doch nicht angeschossen worden, oder?«

Fieber habe er gehabt. Der kaputte Zahn. Im Feld entzünde sich alles rasend schnell. Es seien Leute schon an einem Kratzer gestorben. Und zwar elendiglich. Wenn man nichts dagegen tue, sterbe man schneller, als man denkt. Es wäre eine Schande, im Feld am Zahnweh zu sterben. Das würde sich bis ins Dorf herumsprechen.

»Ist der Zahn weg?«, fragte sie.

»Ja«, sagte er, »ich zeig dir's morgen.«

»Ziemlich vorne einer?«

»Nein, ganz hinten.«

»Können die das, im Lazarett?«

»Das sind sogar die Besten«, sagte er. Überhaupt seien sie die Besten. Wo er sei, dort seien die Besten. Die besten Soldaten, die besten Friseure, die besten Zahnzieher. Sie seien Gebirgsinfanteristen. Etwas Besseres gebe es nicht. Das sage sogar der Kaiser.

»Von uns wird man noch lange reden«, sagte er.

Dann schlief er ein. Mitten im Wort. Maria auch bald. In der Nacht wachten sie zugleich auf. Da war es zwischen ihnen wieder, als gäbe es den Krieg nicht. Und als gäbe es den Mann aus Hannover nicht. Maria sagte, so schön sei es noch nie gewesen. Er sagte, ihm gehe es auch so. Am Morgen schliefen sie wieder miteinander.

»Wie lange kannst du bleiben«, fragte Maria.

Er sagte: »Vier Tage. Vielleicht weniger.« Dann sagte er: »Merkwürdig, dass du erst jetzt fragst.«

»Merkwürdig, dass du es erst jetzt sagst«, hielt sie dagegen.

Sie kamen überein, das sei, weil sie sich so lieb haben, und da werde der Krieg eben vergessen. So war es aber nicht, bei ihr nicht, bei ihm nicht. Wenn er lachte, konnte sie die Zahnlücke sehen. Es sah verwegen aus. Es gefiel ihr. Der Krieg hatte ihren Josef sogar hübscher gemacht. Stell dir vor!

Der Bürgermeister, der Gottlieb, war aber noch zu Besuch gekommen. Er schlug Josef zur Begrüßung so fest auf die Schulter, dass Maria in den Augen ihres Mannes die Wut sah, und sie befürchtete, gleich werde etwas passieren, was sie nicht für möglich gehalten hätte, bevor Josef in den Krieg gezogen war. Dass er schnell wütend werden konnte, wusste sie, zugeschlagen hatte er bisher nie. Das hatte er im Feld vielleicht dazugelernt. Aber es passierte nichts. Die italienischen Truppen hätten zwar Verluste erlitten, erzählte der Bürgermeister, doch zahlenmäßig seien sie eben leider Gottes überlegen.

»Das mit Gott ist überhaupt so eine Sache«, sagte er. Aber weiter wurde darüber nicht diskutiert.

Dann sah Maria durch das Fenster ihren Mann mit dem Bürgermeister sprechen. Sie sprechen über mich, dachte sie. Josef gab dem Bürgermeister irgendetwas Eingewickeltes. Banknoten wahrscheinlich auch, dachte Maria. Diesmal nicht in eine Unterhose eingewickelt. Dass sie einen Mann hatte, der es sogar im Krieg verstand, Geschäftchen zu machen, darauf konnte sie doch stolz sein. Sie erinnerte sich, was ihr Schwager einmal gesagt hatte: Es wundere ihn, warum aus Josef nicht mehr geworden sei. Er trug seinen Sonntagsanzug, das fiel ihr erst jetzt auf. Sie lachte in sich hinein. Weil die Liebe in der Nacht und am Morgen so schön gewesen war, hat er sich den Sonntagsanzug angezogen. Und jetzt erkundigt er sich beim Bürgermeister, ob seine Frau treu gewesen war. Angenommen, der Bürgermeister würde von dem Besuch aus Hannover erzählen und lügen, dass er ihn so früh am Morgen im Haus, ja, im Haus, angetroffen habe, dass man sich fragen müsse, ob er vielleicht die Nacht hier verbracht habe, angenommen, der Bürgermeister würde das erzählen, dann – Josef war nicht bewaffnet aus dem Krieg gekommen, womöglich aber hatte er manchen Italiener in den Bergen getötet.

Der Bürgermeister steckte das Eingewickelte in seine Tasche, er hatte es nicht angesehen. Maria war, als wäre in dem Eingewickelten, was sie wert ist. Ihr Preis. So viel musste bezahlt werden, wenn sie unbeschadet zurückgegeben wurde. Sie ekelte sich und war zugleich stolz.

Keiner aus der Familie wollte, dass der Vater etwas arbeite, er sei zur Erholung da. Josef tat, was er vor dem Krieg getan hatte. Er ging in den Stall. Er lobte Heinrich. Heinrich arbeitete an seiner Seite. Er lobte auch Lorenz. Der kleine Walter rannte in den Stall, und sein Vater setzte ihn auf die schönere Kuh. Alles im Sonntagsanzug. Sie würde den Anzug einen Tag lang putzen und drei Tage auslüften müssen.

»Habt ihr auch Kühe im Krieg?«, fragte Walter.

»Pferde«, sagte Lorenz, und der Vater nickte.

Noch einmal kam der Bürgermeister, er setzte sich mit Josef zusammen. Soviel Maria mitbekam, ging es um Geschäftchen. Vielleicht war es draußen vor der Haustür ja auch um Geschäftchen gegangen und gar nicht um sie. Der Bürgermeister roch nach Schnaps. Maria bewirtete die beiden mit des Bürgermeisters Gaben. Most, Speck, Käse. Dann ging sie ins Schlafzimmer und heftete Flanell für ein neues Hemd. Das sollte Josef unter den harten Militärsachen tragen. Und gegen die Kälte in den Bergen. Das würde ihm guttun. Er dürfte daran denken, wie er seine Hände zwischen ihren Beinen gewärmt hatte. Er war schließlich ihr Ehemann.

Nur in der Küche war es warm. An den Fenstern sah man am Morgen bereits Eisblumen, und wollte man in die Welt hinausschauen, musste man kratzen.

Wieder zog Josef in den Krieg. Nach drei Tagen bereits musste er zurück ins Feld. Man verspricht vier Tage und hält drei Tage. Es schneite. Maria sah ihm nach, wie er über den Weg zum Dorf hinunterging. Als marschierte er quer durch bis Italien. Auf dem Rücken den grauen Rucksack, der nicht ihm gehörte, sondern dem Kaiser.

Dass der Vater im Krieg das Schmusen verlernt habe, erzählte mir meine Tante Kathe. Öffentliches Schmusen sei seine Sache nie gewesen, und Öffentlichkeit war seiner Meinung nach schon vor dem Haus. Auch wenn weit und breit niemand zu sehen war. Wenn einer den Weg heraufkam, konnte man ihn sehen, schon eine Viertelstunde bevor man seine Stimme gehört hat oder er eine Stimme von oben. Und trotzdem, wenn der Vater vor die Tür trat, war Schluss mit Küssen, Streicheln und Kosen, vor der Tür war Öffentlichkeit. Als er aus dem Krieg gekommen sei, schmuste er auch nicht mehr im Haus. Sie, Katharina, hatte ihn umarmen und küssen wollen, er habe den Kopf weggedreht und sie mit den Händen abgewehrt. Was zwischen Mama und Papa im Schlafzimmer gewesen sei, das wisse sie natürlich nicht. Ihr habe das wehgetan, sagte sie, dass sie der Vater zurückgewiesen habe. Es sei nie wieder so geworden zwischen ihr und ihrem Vater, wie es vor dem Krieg gewesen war.

»Wenn ich es ganz hart ausdrücke«, sagte sie, »dann habe ich den Papa im Krieg verloren. Ich habe vorher zu ihm Papa gesagt, und nach dem Krieg habe ich Vater gesagt.«

»Und?«, fragte ich. »Was hat er dazu gesagt? Dass er auf einmal nicht mehr der Papa war, sondern der Vater?«

»Ja, stimmt«, sagte sie. »Das habe ich vergessen. Stimmt, er hat etwas gesagt dazu. Jetzt, wo du fragst, sehe ich ihn vor mir. Und ich höre wieder, was er sagt. Das ist doch interessant, das mit dem Erinnern.«

»Was hat er denn gesagt?«, fragte ich wieder.

»Er hat gesagt. Er hat gesagt. He, du bist ein kaltes Persönchen geworden. Das ist ja das Komische daran. Dass er so etwas vor dem Krieg nie gesagt hätte. In dieser Art.«

»Du bist kein kaltes Persönchen, Tante Kathe«, sagte ich.

»Doch, das bin ich«, sagte sie.

Als gar nicht mehr so junge Frau hatte meine Tante Kathe einen Werber, der ihr aber nicht gefiel, er kam aus einer Arbeiterfamilie und prahlte damit, mit vierzehn habe er seinen Vater unter den Tisch geschlagen, bis dahin sei es umgekehrt gewesen. Außerdem habe er die Liechtensteiner Staatsbürgerschaft. Was für ihn heiße, er könne sich so ziemlich alles erlauben. Meine Tante verabscheute Gewalt. Der Werber ließ nicht locker, er drohte ihr, sie umzubringen, wenn sie ihn nicht heirate. Kathe glaubte ihm und wurde seine Frau. Sie dachte sich, so wie ich aussehe, will mich keiner haben, so nehme ich eben den. Der Mann war harmlos, aber nur zu ihr, mit seinen Söhnen war er streng und grausam. Seine Tochter kümmerte ihn nicht. Als ein Sohn die Uhr im Turnsaal verloren hatte, holte er den Riemen vom Küchenkasten und prügelte ihn fast tot. Dieser Sohn hatte einen Freund, mit dem er gern Karten spielte. Der gefiel mir sehr, weil er gesagt hatte, aus mir würde hundertprozentig einmal etwas Besonderes werden. Ich wollte mit den beiden Karten spielen, und sie gestatteten es, sollte ich aber einen Bock schießen, das heißt etwas falsch machen, müsse ich unter dem Tisch hocken. Tante Kathes Mann bestand nur aus Haut und Knochen. Er aß nichts, trank jeden Abend zehn Bier. Er schickte mich zur Trafik, um Dreier zu holen, das waren Zigaretten ohne Filter in einer Papphülle. Pass auf die Schachtel auf, sagte er, wenn du sie schüttelst, fällt der Tabak heraus, dann kannst du etwas erleben. Ich schüttelte und erlebte nichts. Meine zwei Schwestern und ich wohnten nach dem Tod unserer Mutter bei Tante Kathe. Sie hatte uns in ihre Dreizimmerwohnung aufgenommen, in der Südtirolersiedlung, wo die Armen lebten. Die wenige Luft teilten wir uns mit ihr, ihren zwei Kindern, ihrem Mann, ihren beiden Brüdern, Walter und Sepp, und einer ihrer Nichten. Jeden Morgen zeigte sie uns vor dem offenen Fenster, auch im bitteren Winter, Turnübungen, die wir ihr nachmachen mussten. Ich war sehr geschickt, aber gelobt wurde ich nicht. Sie nähte uns Ärmelschoner, die ich aber gleich wieder auszog und in die Schultasche steckte. Sie versuchte, gerecht zu sein. Wir fürchteten uns vor ihrem jähzornigen Mann, aber er beachtete uns gar nicht. Er hörte zu jeder vollen Stunde die Nachrichten, und wenn einer seiner Söhne auch nur ein Wort sagte, brüllte er ihn nieder und schlug ihm mit der Gabel auf die Finger. Die Tante nahm auch noch zwei ihrer Brüder auf, die sich von ihren Frauen getrennt hatten, den Walter und den Sepp. Sie kochte besser als jeder Spitzenkoch. Mich könne sie nicht durchschauen, sagte sie, und das sei ein Problem und würde ein Problem in meinem ganzen Leben sein. Meine kleine Schwester war erst vier Jahre alt und machte ins Bett, wenn sie nicht in der Nacht aufs Klo gebracht wurde. Das aber hatte der Mann unserer

Tante verboten. So saßen ich und meine ältere Schwester an ihrem Bett und beschworen sie, in die Milchkanne zu urinieren, was die Kleine aber nicht wollte. Am Abend stellte die Tante sämtliche Schuhe vor die Haustür. Ich saß auf dem Fußabstreifer und putzte sie, das liebte ich, weil ein Erfolg abzusehen war.

Als Tante Kathe aufgebahrt zwischen Hibiskusblüten dalag, sah sie aus wie eine alte Indianerin.

Der Bürgermeister zweifelte nicht an sich selbst. Seit er Bürgermeister war, schrubbte er sich jeden Tag die Hände, mischte Sand unter das Seifenpulver, kerbte mit dem Taschenmesser den Dreck unter den Fingernägeln hervor, rasierte sich zu Tagesbeginn und legte Kölnischwasser auf. Ein Politiker, sagte er sich, und ein Bürgermeister war eindeutig ein Politiker, musste sich für das Richtige entscheiden, auch wenn es manchmal nicht gut war, gut im Sinne des Katechismus. Die Natur, dazu musste man nicht studiert haben, ist nicht gut, schau sie doch nur an, richtig aber ist sie auf alle Fälle. Lag er neben seiner Frau, die er nach allen Regeln ehrte, dachte er an Maria und stellte sich vor, wie es sein würde, wenn sie nackt bei ihm läge. Er hatte Maria nackt gesehen. Als er sie zum Brunnen getragen, unter das Wasser gehalten und wieder ins Haus hinaufgetragen hatte. Er rechnete es sich selbst hoch an, dass er ihre Not nicht ausgenützt hatte. Dass ihm nicht einmal der Gedanke gekommen war, sie auszunützen. Oder könnte es sein, dachte er, dass Maria genau einen Draufgänger wollte, einen, der so eine Situation ausnützen würde. Und dass der Ludrian aus Hannover genau so einer war? Er sah die beiden im Schlafzimmer. Hinlegen, sagt der Mann. Und die

Frau legt sich hin. Aufknüpfen, sagt der Mann. Und die Frau knüpft sich auf. Breit machen, sagt der Mann. Dass es bisher nie einen gegeben hatte in ihrem Leben, der ihr so gekommen war? Darum der Vollrausch, als er wieder ging. Weil sie fürchtete, so einer kommt ihr nie wieder?

Der Bürgermeister hatte Josef während des Fronturlaubs von der Anständigkeit seiner Frau überzeugen können. Josef hatte nur ein Wort gesagt, als sie allein vor dem Haus standen: »Und?«

Der Bürgermeister hatte so getan, als beziehe sich das Fragezeichen auf die guten Gaben, als komme ihm gar nicht die Idee, er könnte etwas anderes meinen. »Wir haben genug übrig«, hatte er geantwortet. »Jeden zweiten Tag habe ich ihr und den Kindern etwas heraufgebracht. Es kommt vom Herzen und vom Herzen meiner Frau. Es braucht kein Danke.«

Er bekam auch kein Danke.

Josef fragte noch einmal: »Und?«

Da zog der Bürgermeister ein Gesicht, als würde er erst jetzt überreißen, was gemeint war, und grinste kumpanenhaft: »Mit mir legt sich keiner an. Und jeder weiß, dass er sich – falls! – mit *mir* anlegen würde. Und was das heißt, weiß auch jeder.«

Zufrieden war Josef damit immer noch nicht. Und nun hängte er an das eine Wort noch ein zweites an: »Und sie?«

Der Bürgermeister spielte weiter: »Und sie? Was meinst du damit?«

»Sie!«, wiederholte Josef, streng, im Befehlston, den hatte er gelernt inzwischen.

»Du meinst Maria!«, rief der Bürgermeister. »Ob Maria? Ihrerseits?« Und spielte so gut, dass er tatsächlich selber empört war. »Was ist aus dir geworden im Feld, Josef? Meine Güte! Das macht also der Krieg aus den Menschen? Hast du vergessen, wie deine Frau ist? Josef! Ich hätte es dir immer sagen können und habe es dir auch gesagt, bevor du abgefahren bist: Mich braucht's nicht als ihren Aufpasser. Mich braucht's vielleicht als Beschützer, aber nicht als Aufpasser. Auf Maria muss niemand aufpassen. Erst dann, wenn einer meint, er könnte auf die ungute Tour kommen. Dann braucht's mich. Aber das denkt keiner. Weil sich keiner mit mir anlegen möchte. Auf die Maria kannst du dich hundertprozentig verlassen. Ist es schon so weit, dass ich deine Frau besser kenne als du? Josef!«

Josef nickte und war beruhigt. Bei weiteren Fronturlauben würde er nicht mehr fragen. Wenn es weitere Fronturlaube gäbe. Oder es gäbe keine mehr. Aus welchen Gründen auch immer. Kälte, Schnee und Lawinen waren schlimmere Feinde als die welschen Maronifresser. Aber auch die Kugel eines Feiglings kann treffen, und wenn's zufällig ist.

War der Bürgermeister mit Maria allein gewesen, hatte er sie gelobt. Wie sie die Familie im Griff habe, die Kinder erziehe, das Haus reinhalte. Sich selber. Er war mit dem Finger über Kanten gefahren, hatte ihr den Finger vor die Augen gehalten und ausgerufen. »Nichts! Kein Stäubchen!« Da hatte sie nur gelächelt. Er kannte keine Frau, die so schön lächeln konnte. Vor allem aber kannte er keine Frau, die so schön sitzen konnte. Obwohl alles an ihr so gut zu sehen war, wenn sie saß, besonders deutlich sogar der stramme Busen, weil sie aufrecht saß, Hohlkreuz, die runden Hüften, weil sie im Sitzen noch runder waren, der reine Hals, ein langer Hals, weil sie den Kopf hoch trug – obwohl das so war, obwohl das die Natur eines Mannes eigentlich verrückt und unachtsam machen musste, rührte sie ihn, und er dachte: Ich will sie doch lieber lassen. Wenn sie saß, rührte sie ihn mehr, als er sie begehrte. Diese Küche, alles klein und eng und bis ins Kleinste hinein hergerichtet, beinahe geschmückt, nichts Hässliches vertrug diese Frau um sich herum. Ja, es konnte dem Bürgermeister glatt der Gedanke kommen: Dass Gott so etwas hat erschaffen können! Und er vermutete, der Herrgott hatte es nicht darum getan, damit er sie angreifen sollte. Es musste ein Versehen sein, dass Maria in diesem Dorf gelandet war. Der Bürgermeister war einmal in seinem Leben in der fernen Hauptstadt Wien gewesen – dorthin hätte Maria gepasst. Wenn sie vom Stuhl aufstand und wieder in der Küche auf und ab ging, waren die frommen Grübeleien weg, und er starrte auf ihren Hintern, wie er sich bewegte, jedes Mal ein winziger Stoß, wenn sie mit einem Fuß auftrat.

Noch am selben Vormittag, als Josef in den Krieg zurückkehrte, stand der Bürgermeister vor der Tür. Trotz Schneeregen und heftigem Wind war er heraufgekommen. Die Kinder waren in der Schule. Er zog die genagelten Schuhe aus, ging auf den Socken in die Küche, setzte den Kaffee auf, den er Maria mitgebracht hatte, reinen Bohnenkaffee, sie aßen vom Kuchen seiner Frau.

»Ich bin euer Wohltäter«, sagte er. »Das habe ich dem Josef versprochen. Was ich verspreche, halte ich. Aber! Kein Mensch ist ungefährlich in dieser Zeit, aber auch nicht einer, sag ich dir, ich nicht und dein Josef nicht, dein Josef, das sag ich dir, Maria, der ist ein Guter, aber ein Ungefährlicher ist er nicht, wär ich ein Sauhund, ich könnt ihn sofort auf der Stelle anzeigen, und wahrscheinlich würde er vor ein Kriegsgericht gestellt und erschossen, aber wer tut das, das ist die Frage, Maria, wer tut das, ich tu das nicht, ich bin euer Wohltäter.«

In einer geraden Linie hatte der Bürgermeister gesprochen, ohne auch nur irgendein Wörtchen zu betonen, nicht einmal das Wort »erschossen« hatte er betont, erst am Ende war seine Rede zu einem Punkt gekommen. Maria küsste seine Hand.

»Das will ich nicht«, sagte er. »Schließlich kommt von Herzen, was ich dir bringe. Dir und den Kindern. Es ist freiwillig. Das ist nicht abgemacht mit Josef. Das kommt direkt aus meinem Herzen. Da gehört sich kein Gesellschaftskuss.«

»Das Wort kenne ich nicht«, sagte sie und stand auf, was ein Zeichen sein sollte.

»Ich erklär's dir ein andermal«, sagte er und stellte sich dicht vor sie hin.

»Ich will das nicht«, sagte sie.

Er schob ihr die Ärmel nach oben und legte seine Handrücken in ihre nackten Achselhöhlen, drückte die Bluse nach unten und versuchte, ihre Brüste zu erreichen. Die Ärmelausschnitte waren aber zu eng, und er fluchte und zerrte. Sie schlug nach ihm. Er riss sie an sich. Sie musste aufpassen, dass sie nicht umfiel. Sie befürchtete, genau das beabsichtige er. Dass er dann auf sie drauffiel. Mit dem Knie fuhr er ihr zwischen die Beine und schob ihr den Rock nach oben. Sie konnte sich nicht befreien, er hing mit seinen Händen in ihren Ärmeln fest. Sie schlug weiter nach ihm, geriet in Panik, traf ihn am Hals. Dann war sie frei und rang nach Luft.

Er entschuldigte sich bei ihr. Wenn sie ihn einmal lasse, nur einmal, dann werde er ihr ewig nicht mehr nachgehen. Das schwöre er. In Zeiten wie diesen sei es doch völlig egal, ob sie ihn einmal lasse, völlig egal. Niemand im Himmel schaut in diesen Zeiten in so ein Dorf am Ende eines Tals, das am Ende der Welt liegt. Was sie denn denke, das Josef in den italienischen Bergen so alles abziehe. Man bringt dort die Huren lastwagenweise in die Berge. Huren von überall her, bis von Afrika herauf. Schwarze Frauen, da könne ein Hiesiger auf keinen Fall widerstehen. Im Krieg ist alles erlaubt. Das weiß jeder. Der Josef würde ihr das nicht nachtragen. Selbst, wenn er es wüsste. Aber er wird es nicht wissen. Niemals. Nur einmal wolle er! Ein einziges Mal! Nach dem Krieg sei alles anders. Da sei es wie nicht gewesen. Jeder kleinste Soldat sei froh, wenn nach dem Krieg alles nicht gewesen sei, was er im Krieg angestellt habe.

»Ich möchte nur, was du dem aus Hannover gegeben hast, Maria. Mehr nicht. Nur einmal, Maria! Einmal!«

Sie riss sich los, rannte ins Schlafzimmer und klemmte einen Stuhl mit der Lehne gegen die Türschnalle. Schlüssel gab es im Haus der Bagage keinen. Erst pumperte er noch. Dann zog er ab.

Als die Kinder aus der Schule kamen und sie miteinander gegessen hatten, schickte sie Katharina, Walter und Heinrich nach draußen, sie trug ihnen Arbeit auf, im Stall, in der Scheune, bei den Kühen, der Ziege. Lorenz nahm sie mit ins Schlafzimmer, klinkte hinter sich die Tür ein.

»Lorenz«, sagte sie, »du musst mich beschützen. Er will etwas von mir. Frag nicht, was er will. Das weißt du.«

Sie brauchte auch nicht zu sagen, wen sie meinte. Sie saßen nebeneinander auf dem Bett, Mutter und Sohn. Lorenz schnaufte laut. Sein Kinn verkrampfte sich. Das war zu sehen, auch in dem schwachen Schein von dem winzigen Fenster her. Nach einer Weile sagte Maria: Sie denke, so gehe es: Die Kinder sollen, wenn er kommt, alle in der Küche sitzen bleiben und warten, bis er wieder geht, und wenn er die ganze Nacht bleibt. Lorenz soll sich auf den Platz vom Bürgermeister setzen und nicht aufstehen, auch nicht, wenn der Bürgermeister sagt, er soll.

»Und wenn wir in der Schule sind?«, fragte Lorenz.

»Und wenn du eine Zeit lang nicht in die Schule gehst?«, fragte Maria.

»Das kann ich einrichten«, sagte Lorenz. »Ich lerne daheim.«

»Ich kann dir helfen«, sagte Maria.

Als sie am Abend wieder alle miteinander um den Tisch saßen, Heinrich, Katharina, Lorenz und Walter, sagte sie: »Lorenz will euch etwas mitteilen.«

Lorenz erzählte seinen Geschwistern alles, was ihm die Mutter erzählt hatte, nichts machte er schöner, nichts kleiner, aber auch nichts größer.

Katharina sagte: »Ich geh hinunter und sag es seiner Frau, sie mag mich.«

Lorenz sagte: »Wenn du das tust, mag sie dich nicht mehr.«

Heinrich zog nur den Kopf ein. Walter blickte von einem zum anderen und merkte sich alles. Der Hund und die Katze taten, als hätten auch sie alles verstanden.

Erstens: Wann und wo endet die Bagage? Gehöre ich noch dazu? Gehören meine Kinder noch dazu? Gehört mein Mann dazu? Zweitens: Was war mit der Fröhlichkeit und dem Gelächter in der Bagage?

Übermütig und lustig war meine Großmutter gewesen, als Mädchen vor ihrer Hochzeit auf dem Tanzboden, da ist sie aus sich heraus, wie man sagt, aber es war nur ein paarmal gewesen. Davon ist allerdings oft und gern gesprochen worden. Im Dorf und auch in der Familie. Gern hatte sie gesungen und nicht schlecht, besser allerdings sang ihre Schwester. Aber jedes Mal, wenn sie gemeinsam Lieder sangen, war das eine Freude. Zweistimmig sangen sie. Und manchmal war eine Freundin dabei, dann sangen sie dreistimmig. Da seien für einen Augenblick alle fromm geworden vor lauter Schönheit. Der Mann von Marias Schwester war ein Weltmann, so sagten sie, ein Jahr hatte er in Berlin gelebt und hatte viel zu berichten aus dieser weltberühmten Stadt. Er spielte Akkordeon, und es gefiel ihm, wenn die Schwestern dazu sangen, er meinte allen Ernstes, sie hätten in Berlin Chancen. Er hatte ein Lied aus der Stadt mitgebracht, das hieß: *Püppchen, du bist mein Augenstern.*

Und Josef? Wenn er mit den Kindern spielte und seine Hände in die Spielfiguren steckte, den Kasperl über seine rechte, das Krokodil über seine linke zog, das war lustig. Die Kinder hatten gelacht, Maria hatte gelacht. Sie hatte die Figuren genäht und gut genäht. Sie nähte auch Hemden, sie hatte auch schon für Geld genäht. Josef hatte seine Stimme verstellt, einmal war er der Kasper gewesen, dann das grausame Krokodil und dann der einfache Papa, einfach der Papa.

An mein eigenes großes Gelächter erinnere ich mich nur bei meinem zweiten Mann, der Bauch tat mir weh, und ich lachte Tränen, wenn er seine Stimme verstellte und Leute nachmachte.

Und mein Onkel Lorenz? Hat er gelacht? Hat er im Guten gelacht? Ich habe die Erinnerung an seine schwere Brille, die tatsächlich schwer war, dicke Augengläser, das Gestell von dunklem Braun, ich nehme an, ein Krankenkassengestell oder ein Stück aus Russland, man hätte sie glatt als Briefbeschwerer benutzen können. Er war der, der immer in der Mitte stand. Etwas Militärisches hatte er an sich und machte sich zugleich über jede Uniform lustig, bis hin zum Briefträger. Wenn er uns besuchte, erhob sich mein Vater, erhob sich von seinem Lehnstuhl, mühsam wegen seiner Beinprothese, und begrüßte ihn: »Hier kommt der Feind!« Ich brachte ihnen das Schachbrett, baute die Figuren auf, versteckte hinter meinem Rücken einen weißen Bauern in der einen Hand, einen schwarzen in der anderen und ließ Onkel Lorenz ziehen. Weiß beginnt. Dann brühte ich Tee auf und servierte. Und stellte Süßes dazu. Immer. Nichts davon rührten sie an. Nie. Onkel Lorenz gab viele Stücke Würfelzucker in seine Tasse, die lösten sich schlecht auf. Er trank den Tee auf einen Zug leer. Am Boden blieb der Zucker zurück. Sie spielten zwei, drei Stunden, redeten nicht viel, und Onkel Lorenz verabschiedete sich. »Der Feind geht!«, rief mein Vater. Die beiden mochten einander besonders gern.

Ich wusste, dass Onkel Lorenz während des Zweiten Weltkriegs in Russland desertiert war, dass er sich der Roten Armee angeschlossen und eine russische Frau gehabt hatte und ein Kind. Ich hatte mir immer vorgestellt, dass man ihm das ansehen müsste, irgendwie, dieses Abenteurerleben, dass er kühn aussähe. Aber nein. Er war, wie die Männer damals waren. Dass er einen Dünkel habe und die meisten Menschen blitzdumm finde, berichtete mein Vater. Auch diesbezüglich waren sich die beiden einig. Von der russischen Frau gibt es nicht einmal ein Foto. Von dem gemeinsamen Kind auch nicht. Zwei seiner Söhne hier wurden Einbrecher, und einer beendete sein Leben mit einem Strick. Ich kann mich gut an die Zwillinge erinnern. Sie waren bei uns in den Sommerferien, zwei gewitzte Buben, der eine stark, der andere schwach. Beide hinter mir her. Mein Vater sagte immer, unter besseren Umständen wäre Lorenz ein wichtiger Mann geworden. Beide interessierten sich hauptsächlich für Bücher und Gedanken. Die Frauen gefielen ihnen, wenn sie gescheit waren und auf Augenhöhe. Mein Vater mochte Frauen, die einen Kopf kleiner waren als er.

Lorenz, mein Sohn, ist das Gegenteil von meinem Onkel. Er ist Maler. Malt Tiere gern. Würde nie auf ein Tier schießen. Einmal fuhr er in der U-Bahn mit einem großen Kübel Dispersionsfarbe, der kippte um, alles voll. Er zuckte nur mit den Schultern. Einige Fahrgäste hatten Spritzer auf ihrer Kleidung. »Gleich auswaschen«, sagte er nur, sonst nichts. Keiner hatte sich aufgeregt. Auch wenn er vehement nicht so sein will, wie mein Onkel einer war, mein Onkel hätte sich ähnlich verhalten: Er hätte sich nicht entschuldigt. »Wer sich entschuldigt, ist schuldig«, das war ein Spruch, den mein Onkel Lorenz oft anbrachte, wieder ohne Zusammenhang, manchmal anstatt »Guten Morgen« oder »Auf Wiedersehen«. In seinem Atelier kniet mein Sohn vor der Leinwand, es ist, als würde er sie beschwören. Oder er nimmt einen Pinsel, befestigt ihn an einer Stange und geht barfuß über die Leinwand, die am Boden ausgebreitet liegt. Er sagt: »Am besten an gar nichts denken, dann passiert etwas.« Als Kind war er nie krank. Wenn ich kochte, spielte er in der Küche, hockte in dem Spalt zwischen Küchenkasten und Spülmaschine, baute aus den Hülsen von Medikamenten Türme. Auch mein Onkel Lorenz war nie krank, sein Leben lang nicht.

Am wenigsten kannte ich meinen Onkel Heinrich. Wenn ich alles zusammenklauben würde, was er jemals zu mir gesagt hat, es würde keine Seite füllen. Gern hätte er als Kind ein Pferd gehabt. Als er schon über vierzig war, konnte er sich eines leisten. Er kaufte einen Noriker mit der seltenen Farbe *Tiger*. Die Stute hatte er auf einer Versteigerung gesehen und sich gleich in sie vernarrt. Ein sehr großes, sehr breites Tier mit Haaren über den Hufen. Einmal hat es mir Onkel Heinrich gezeigt. Ich konnte gut verstehen, dass er dieses Pferd mochte. Viel Geld hatte er dafür ausgegeben. Das weiße Fell mit den schwarzen Flecken fand er selten schön. Ich auch. Als Bub und Jugendlicher war Heinrich vernünftig gewesen und hatte sich nur für die Landwirtschaft interessiert. Seine Eltern und seine Geschwister hielten nicht viel von ihm, abgesehen von seiner Arbeitskraft. Als wäre er ein Traktor. Zu Familientreffen kam er nicht. Und über ihn geredet wurde nicht. Nicht weil es ein Geheimnis gegeben hätte. Sondern weil es keines gab. Er fühlte sich den Tieren mehr zugetan als den Menschen. Das war immer so gewesen. Als die Eltern gestorben waren, zog er bald fort. Er war der Älteste und erst neunzehn, das Elternhaus hinten im Tal wurde versteigert, er suchte Arbeit in einer Fabrik. Dort lernte er eine Frau kennen. Die war noch unscheinbarer als er, sie gab ihm die Gewissheit, dass er mehr wert sei als sie. Das war ihm wichtig, aber anmerken ließ er sich das nicht. Aber auch das alles ist nur eine Vermutung. Eine Vermutung, die meine Tante Kathe anstellte. Heinrich und seine Frau hatten eine Tochter und einen Sohn. Alle schindeten und sparten, kauften eine kleine Landwirt-

schaft und richteten sich ein. Sie waren zufrieden und recht-
schaffen müde. Ich weiß über sie wenig. Eigentlich nichts. So
glücklich wie mit seinem Pferd war Heinrich allerdings nie
gewesen, nicht mit seiner Frau und nicht mit seinen Kindern.
Die Tochter machte eine gute Karriere als Dolmetscherin und
lebte in Paris, habe ich gehört. Kaum hatte Onkel Heinrich
das Pferd zwei Wochen im Stall, trat es ihm auf den nackten
Fuß, und davon wurde er krank. Der Fuß entzündete sich und
wurde schwarz. Seine gute Frau band ihm Kräuter auf und
konnte ihn retten. Zum Arzt war er nicht gegangen. Seit dem
Unfall mochte er das Pferd nicht mehr leiden. Seine Frau
schaute auf den Noriker, und wenn Heinrich ihn auf der
Weide erblickte, hielt er sich die Augen zu und hoffte, das
Pferd merkte es. Der Fuß wurde nie mehr ganz heil und
schränkte ihn bei seiner Arbeit ein. So tat fast alles seine Frau.
Heinrich wollte seinen Sohn dazu erziehen, dass er der Mutter helfe, aber das brachte nicht viel, der Sohn war schon am
Morgen müde. Einmal kam seine Tochter auf Urlaub aus Paris und brachte ihren Sohn mit. Sie war sehr schick gekleidet,
ihr Koffer war aus feinem Leder. Der Bub war ein hübscher
Kerl mit schwarzen Locken. Heinrich vernarrte sich nun in
den Buben, überredete seine Tochter, ihn hierzulassen, er
würde sich um ihn kümmern, was er dann auch tat. Er lernte
mit ihm und fand, dass auf jeden Fall etwas aus ihm werden
müsse. Der Bub brachte Heinrich Französisch bei, und bald
redeten sie nur noch in dieser Sprache miteinander. Einmal
sagte Heinrich zu seinem Liebling, er dürfe sich etwas wün-
schen, ganz egal, wie viel es koste, er habe nämlich ziemlich
Geld gespart. Da sagte der Bub, er wünsche sich den Noriker
zu seinem Eigentum.

»Si je n'ai pas à le regarder«, sagte Heinrich und drückte den Buben glücklich an sich.

Mein Onkel Heinrich versöhnte sich mit dem Pferd, und oft habe man im Stall ein großes Gelächter gehört und ein Wiehern – Großvater, Enkel und Pferd.

Als der Bürgermeister das nächste Mal Marias Haus betrat, ohne zu klopfen, ohne zu schellen, saß Lorenz in der Küche auf dem Platz, auf den sich der Bürgermeister für gewöhnlich setzte. Auf seinen Knien war das Gewehr, mit der einen Hand hielt er den Lauf, die andere lag über dem Abzug.

»Da schau an«, sagte der Bürgermeister. »Wo ist deine Mutter?«

»Nicht da«, sagte Lorenz.

»Das ist keine Antwort.«

Lorenz schaute ihn nur an, sagte aber nichts. Der Bürgermeister merkte schon, dem Buben fiel es schwer, den Blick zu halten. Es war bald Mittag, nach Essen roch es nicht. Und der Tisch war blank. Keine Teller, keine Tassen, keine Butter, keine Milch in einem Hafen, kein Brot, kein Speck, kein Käse.

»Ein schöner Stutzen«, sagte der Bürgermeister. »Kannst du damit schießen?«

Lorenz nickte. Senkte den Kopf, schaute ihn unter den Brauen hervor an.

»Auf was schießt du denn?«

Lorenz zuckte mit den Achseln.

»Vögel?«

Keine Antwort.

»Größeres?«

Keine Antwort.

»Ein schöner Stutzen. Mit dem sollte man nicht auf Blödsinn schießen. Bierflaschen oder so. Wär schade drum.«

Lorenz griff fester nach dem Gewehr, ein Seufzer entfuhr ihm. Er streckte den Rücken. Er hatte einen runden Rücken, das wirkte lauernd.

Der Bürgermeister sah die Angst in seinen Augen. »Den Stutzen da, den hat ja auch der beste Büchsenmacher weit und breit gemacht«, sagte er. »Weißt du, wer der beste Büchsenmacher ist?«

Kaum dass man es sehen konnte, nickte Lorenz.

»Ich weiß auch, wer der beste Büchsenmacher ist«, sagte der Bürgermeister. »Das ist ein Fink-Stutzen. Und der Fink, das bin ich. Und jetzt, du Hallodri, sag mir, wo deine Mutter ist! Sonst nehm ich dir das Gewehr ab und geb dir mit dem Kolben einen Arschtritt!«

»Sie ist etwas schauen gegangen«, sagte Lorenz, aber jetzt zitterte er vor Wut.

»Du redest wie ein Blöder«, fuhr ihn der Bürgermeister an, dem das Zittern gefiel. »Hat sie sich hingelegt? Soll ich nachschauen? Etwas schauen gegangen ist sie? So. Aha. Was tust du, wenn ich auch etwas schauen gehe? Wenn ich ins Schlafzimmer gehe und nachschaue? Erschießt du mich dann? Du musst aber gut zielen. Wenn du nicht genau ins Herz triffst, ist da nur eine Sauerei, und tot bin ich nicht.«

Das Gewehr fiel auf den Boden. Lorenz schluchzte auf und lief hinaus in den Schnee. An den Füßen hatte er nur die Hauspatschen. Er lief zum Brunnen hinunter. Dann kehrte er um und versteckte sich im Stall und fror dort und rief leise nach dem Hund, der war aber nirgends, und wartete, bis Katharina und Heinrich aus der Schule kamen, und da war auch der Hund, und der Bürgermeister war schon weg.

Am Abend berichtete Lorenz der Mutter und den Geschwistern, was geschehen war. Er machte nichts schlechter und machte nichts schöner. Dass er feige gewesen sei, sagte er, und davongerannt sei und dass ihm das leidtue und dass es nicht mehr vorkomme. Maria sagte dazu nichts, aber am nächsten Morgen befahl sie den Kindern, im Haus zu bleiben, bei ihr.

»Ihr braucht nicht mehr in die Schule zu gehen«, sagte sie. »Überhaupt nicht mehr. Nicht mehr, solange Krieg ist. Alles, was ihr in der Schule lernt, kann ich euch auch beibringen. Wenn wir um unseren Tisch herum sitzen, ist das gemütlich. So gemütlich ist es in der Schule nicht, und wenn es gemütlich ist, lernt man leichter, das ist so. Das Rechnen bringt euch Lorenz bei. Der kann es gleich gut wie der Lehrer.« Katharina solle nur nicht wieder sagen, das sei verboten. Im Krieg sei alles erlaubt. Auch das Schulschwänzen.

Da sagte Katharina nichts.

Als meine Tante Kathe endlich von der Bagage erzählte, sah sie den Tod bereits vor sich, wie er ihr winkte. Diese Worte hatte sie dafür.

»Er steht da«, sagte sie, die Worte kamen aus ihrem Gesicht heraus, kaum dass sich ihr Mund bewegte, ein Gesicht wie aus Leder, ich saß ihr in ihrer kleinen Küche in der Südtirolersiedlung gegenüber, und mir schien, als stehe hinter ihr jemand, der spricht, und sie leihe dem lediglich ihr Gesicht, »der Tod steht da«, sagte sie, »ein paar Meter vor mir steht er, einen Fuß vor dem anderen, ein bisschen vorgebeugt, das

Knochengerüst, er dreht sich zu mir um und winkt, ich soll vorwärtsmachen.«

Da war sie schon weit über neunzig. Eine scharfnasige Frau mit schlanken, noch immer wohlgeformten Gliedern, an den Oberarmen waren die Muskelstränge zu sehen. Eine Frau, die immer noch arbeitete, als wäre sie ein Mannsbild, und die nicht an die Frau in sich dachte. Ein Ausdruck meiner Mutter: »Katharina, denk doch auch einmal an die Frau in dir!« Worauf ich versuchte, an die Frau in mir zu denken. Ich kam aber auf keinen grünen Zweig, ich war ja auch erst zwölf, als ich diesen Ausdruck hörte.

Nach dem Tod meiner Großmutter und meines Großvaters wird Katharina die Geschwister hüten, Lorenz, Heinrich und Walter und dazu die Grete, die Irma und den Sepp, die später noch gekommen sind, und täglich wird sie zubereiten, was es gibt, und darauf achten, dass sie alle satt werden. Da wird Katharina erst achtzehn Jahre alt sein.

Als man Lorenz und Heinrich wegen Wilderei abführen wird, wird sie ihnen ein Alibi geben wollen.

»Ich schwöre bei dem heiligen Gott im Himmel und der heiligen Katharina und bei meiner eigenen Seligkeit und der Seligkeit meiner Geschwister, dass der Lorenz und der Heinrich den ganzen Tag bei mir in der Stube gesessen sind!«

Es wird nichts nützen. Man wird ihr nicht glauben. Man wird denken, sie glaubt weder an den heiligen Gott im Himmel noch an ihre Namenspatronin, noch an irgendeine Seligkeit, nicht einmal an die eigene. Sie werden in den Kotter gesperrt werden, Lorenz siebzehn, Heinrich neunzehn. Der Kotter wird der Keller im Haus des Bürgermeisters sein.

Es wird Gefahr bestehen, dass man ihnen den Lorenz wegnimmt. Der Bürgermeister bezeichnet ihn vor den Gendarmen als den Anstifter. »Der da«, wird er sagen, »der ist der geborene Verbrecher.« Katharina wird Heinrich beschwören, er solle die Schuld auf sich nehmen, die ganze Schuld, allein. Der Lorenz, wird sie sagen, liebe die Freiheit so sehr, er brauche sie, er werde in der Zelle nicht überleben. Heinrich wird ihr gehorchen und alles gestehen und schwören, er allein sei auf die Jagd gegangen.

Später wird Kathe meine Mutter, die Grete, ermuntern, sich von den Männern nichts gefallen zu lassen, am besten solle sie einen Bogen um sie herum machen.

So eine wird Katharina sein. So eine war meine Tante Kathe.

An diesem Vormittag, es war Anfang Dezember – der 4. oder 5. Dezember 1914, Tante Kathe sagte, es sei einen Tag oder zwei Tage vor Nikolaus gewesen –, waren die Kinder wieder zu Hause geblieben.

Und es war gut, dass sie bei der Mutter waren. Katharina, Lorenz und Walter sahen den Bürgermeister durch den Schnee heraufkommen. Heinrich war im Stall und fütterte die Kühe und die Ziege. Auch er sah den Bürgermeister. Er warf die Heugabel hin, den Hund ließ er im Stall, sperrte ab und lief ins Haus. In der Küche stellte er sich zu seinen Geschwistern und seiner Mutter.

Es war still. Sie hauchten die Eisblumen von der Fensterscheibe, sahen den Bürgermeister nicht weit vom Haus stehen. Als überlegte er. Den Kopf erhoben und ein bisschen schief, das Kinn gereckt. Als lauschte er. Als nähme er Witterung auf. Einen Rucksack hatte er auf dem Rücken. Ein schwarzer aufrechter Brocken im Schnee war er. Und dann war er auf einmal nicht mehr da. Sie hatten ihn nicht weggehen sehen, in den Wald hinauf wird er nicht gegangen sein. Wie weggezaubert. Wie aus dem Weißen herausradiert. Und wie vom Himmel gefallen stand er mitten in der Küche. In Wollsocken. Er roch nach gekochten Kartoffeln. Wahrscheinlich die Socken.

Es wurde etwas anderes daraus, als Maria sich gedacht hatte. Sie hatte gedacht, er verzieht sich gleich wieder, wenn sie alle um sie herum sind. Dass er vor den Kindern wenigstens Respekt hat.

Er aber brüllte die Kinder nieder: »Wisst ihr nicht, dass man euch einsperren wird? Es herrscht Schulpflicht in unserem Land. Ich bin hier der Vertreter des Kaisers! Ich bin gekommen, um zu kontrollieren ...« Und dass sie augenblicklich, augenblicklich verschwinden sollen. Auf und ab gestampft ist er in der Küche in seinen Socken. Gefuchtelt hat er. Dass er eventuell, eventuell von einer Anzeige absehe, aber nur, wenn sie augenblicklich verschwinden. Wenn in einer Familie die Schulpflicht verletzt werde, dann würden Maßnahmen ergriffen, dann würden die Kinder weggenommen. Das sei Gesetz. Das sei automatisch. Da könne auch ein Bürgermeister nichts machen. Niemand dürfe sich einbilden, im Krieg gelten die Gesetze nicht mehr. Gerade im Krieg gelten die Gesetze. – Mit einer Lautstärke, dass man den Widerhall von den Bergen herunter hörte.

»Himmelherrgottzeitennocheinmal!«

Er gab den Kindern Tritte und schupfte sie, Katharina fiel auf die Seite. Walter riss er an den Haaren und beutelte ihn. Heinrich schlug er zweimal mit den Knöcheln auf den Kopf, rechts vom Ohr, links vom Ohr und zuletzt eine Genickwatsche. Nur an den Lorenz traute er sich nicht.

Die Kinder liefen aus dem Haus, grad das Winterzeug zogen sie sich drüber, und das erst im Laufen, die Schulsachen nahm nur Katharina mit, Lorenz und Heinrich liefen mit offenen Schuhbändern, Walter ihnen nach.

Maria drückte sich hinter den Tisch, duckte sich zwischen Eckbank und Tisch, hielt ein Kissen vor sich hin, hätte gern nach irgendeinem Stück gegriffen, dem Kerzenleuchter zum Beispiel, der aus Buchenholz war, aber sie traute sich nicht, sie dachte, dann wird er noch zorniger und reißt mir das Stück aus der Hand und erschlägt mich damit.

»So jetzt«, sagte der Bürgermeister und warf den ersten Stuhl um. »So jetzt, du feine Dame!«

Meine Tante Kathe erzählte mir, was dann geschah: »Wir sind gerannt, der Heinrich, ich, den Walter an der Hand, und dann ist der Lorenz stehen geblieben, die Schneewände rechts und links von ihm höher als er. Komm, habe ich gerufen, komm, Lorenz, sonst zeigt er uns an, und man nimmt uns von der Mama weg. Ich habe das nämlich geglaubt. Das ist ja schon öfter gesagt worden. Über uns. Im Dorf haben sie, also nicht alle, aber einige schon, die haben gedacht, die Bagage, die da oben, das sind Halbwilde, gedacht haben das wahrscheinlich eh alle, aber einige haben es auch gesagt, wir waren ja fast die Letzten, die keinen elektrischen Strom gehabt haben und kein Wasser im Haus, nur einen Brunnen, und zu dem musste man zwanzig Meter gehen und der gehörte uns nicht einmal. Da ist schon gesagt worden, he, Kinder haben sie auch jede Menge, und der Vater macht krumme Geschäftchen, wär's nicht besser, man würde ihnen die Kinder wegnehmen, dass wenigstens einigermaßen etwas aus ihnen wird. Ich habe Angst gehabt, das muss ich zugeben. Der Lorenz nicht. Wenn wir wollen, sollen wir ruhig wegrennen, hat er uns zugerufen, dem Heinrich, dem Walter und mir, er rennt nicht mehr davon. Er nicht. Er ist umgekehrt und zurück. Die Arme hat er abgespreizt und hat mit ihnen gerudert, und den Rücken hat er krumm gemacht. Wir sind noch stehen geblieben eine Weile. Ich habe wirklich Angst gehabt, das gebe ich zu, ich weiß gar nicht, ob ich jemals in meinem Leben noch einmal so eine Angst gehabt habe, ich glaube nämlich nicht. Der Lorenz, das hat jeder gewusst in der Familie, der kann etwas anstellen, wenn er einen Zorn hat. Ich habe mich fast vor dem Lorenz mehr gefürchtet als vor dem Bürgermeister. Bis wir den Lorenz oben beim Brunnen gesehen haben, sind wir noch stehen geblieben, der Heinrich, der Walter und ich, alle miteinander ohne eine Kappe auf dem Kopf, bei sicher minus zehn Grad, Handschuhe sowieso nicht, die haben wir oben liegenlassen in der Küche, so schnell, wie wir davongerannt sind. Dann haben wir Lorenz nicht mehr gesehen, weil der Schnee so hoch war. Ich habe gesagt, auf geht's, dann gehen wir ihm nach. Aber schnell sind wir nicht gegangen. Heinrich hat gebremst. Er hat gesagt, der Lorenz will uns nicht dabeihaben. Bei was will er uns nicht haben, habe ich ihn gefragt. Heinrich ist stehen geblieben, und ich mit dem Walter an der Hand bin weiter. Ich soll den Walter wenigstens bei ihm lassen, hat Heinrich uns nachgerufen. Dass der Walter zu jung ist. Zu jung für was? Wir sind weiter. Und dann ist Heinrich doch hinter uns her. Und wo wir in die Küche gekommen sind, haben wir den Lorenz gesehen. Mit dem Gewehr.«

Lorenz hatte sich ans Haus geschlichen, durch den Tiefschnee ist er und um das Haus herum, und war hinten aufs Dach geklettert, das war leicht, weil das Haus am Hang stand und das Dach hinten fast den Boden berührte. Er wusste, wie man die Luke zum Dachboden von außen aufmacht, er hat erst den Schnee weggewischt, und dann ist er eingestiegen. Er holte das Gewehr und stand auf einmal in der Küche.

»Hau ab!«, sagte er. »Ich brauch nicht gut zielen, ich hab Schrot.«

Diesmal traute sich der Bürgermeister nicht, ihn anzuschreien. Diesmal nicht. Vermutlich wegen dem Schrot. Maria kroch aus der Ecke und stellte sich hinter ihren Sohn. Sie legte Lorenz die Hände auf die Schulter.

Lorenz hob das Gewehr an seine Wange. »Es ist oo-Schrot«, sagte er. Meine Tante Kathe erzählte mir, das sei ja die allerschlimmste Vorstellung, wenn einer mit Schrot erschossen wird. Sie kannte sich mit Gewehren aus, nicht so gut wie Heinrich und schon gar nicht so gut wie Lorenz, aber zwischen Schrot und einer glatten Kugel konnte sie unterscheiden und hat den Unterschied bei einem Reh gesehen, und das nicht nur einmal.

»Ich zähle auf drei«, sagte Maria. »Bei drei sag ich meinem Sohn, er soll schießen.«

»Ab jetzt ist es ein schweres Verbrechen«, sagte der Bürgermeister.

In diesem Augenblick betraten Katharina, Heinrich und Walter die Küche. Tante Kathe erzählte mir, das letzte Wort vom Bürgermeister habe sie gerade noch gehört. Sie habe zu weinen angefangen, weil sie dachte, jetzt sei alles aus.

Der Bürgermeister wörtlich: »Jetzt ist alles aus.«

»Kommt her zu mir!«, befahl Maria. »Stellt euch neben mich! Alles wird gut. Nichts ist aus.«

»Und die guten Gaben, die ich mitgebracht habe?«, fragte der Bürgermeister. »Was ist mit denen? Soll ich die wieder mitnehmen?«

»Eins«, sagte Maria.

»Nimm sie halt wieder mit!«, schluchzte Katharina. »Wir wollen sie nicht. Nimm sie bitte wieder mit! Wir wollen von niemandem etwas. Nur dass man uns in Ruhe lässt. Wir haben doch niemandem etwas getan.«

Auf dem Tisch lag der Rucksack, die Schnüre waren gelöst, eine Wurststange war zu sehen und zwei Weggen Brot und ein Leinensack mit grobem Grieß. Als ob der Nikolaus da gewesen wäre.

»Und wovon wollt ihr leben?«, fragte der Bürgermeister. »Vom Schneefressen wird man nicht satt.«

»Zwei«, sagte Maria.

Walter rief schnell: »Aber die Wurst will ich! Wenigstens die Wurst. Ich hab Hunger.«

»Nimm sie heraus!«, sagte Lorenz.

»Ich trau mich nicht«, sagte Walter.

»Nimm sie du heraus!«, sagte Maria zu Heinrich.

Heinrich zog die Wurst aus dem Rucksack, schaute den Bürgermeister an und hob die Schultern. Der Bürgermeister machte eine gönnerhafte Geste.

»Und das andere, was da ist, auch!«, befahl Maria. »Nimm alles heraus!

Bei jedem Stück sah Heinrich den Bürgermeister an, bei jedem Stück nickte der Bürgermeister.

»Nehmt ruhig alles«, sagte er. »Es ist ja für euch. Das Brot, die Wurst, der Riebel, unten ist noch ein Käs und ein Speck, alles für euch. Milch habt ihr ja selber. Ein Danke ist nicht nötig. Es kommt alles vom Herzen. Man muss nicht etwas stehlen, was man geschenkt kriegt.«

Dann machte er sich davon. Sehr langsam. Ließ sich beim Schuheanziehen viel Zeit. Setzte sich dazu breit auf den Fußboden. Fing an, ein Lied zu singen: *Maria durch ein Dornwald ging …*

»Mach vorwärts!«, sagte Maria.

»Sagst du jetzt drei, weil ich mir beim Schuheanziehen schwertue?«, fragte er zu ihr hinauf. »Und du, junger Mann, erschießt du den Stellvertreter des Kaisers, weil er sich beim Schuheanziehen schwertut?«

Lorenz schaute er nicht an. Ein bisschen von seiner Kraft hatte der Bürgermeister wiedergewonnen. Noch längst nicht die ganze Kraft. Dafür brauchte er viele Tage. Vor Lorenz hatte er von nun an sein Leben lang Respekt. Den hätte er gern im Loch gesehen.

Als der Bürgermeister endlich draußen war und sie ihn draußen nicht mehr sehen konnten, schwankte Maria und musste sich an einem Stuhl festhalten, und Katharina lief zu ihr hin, um sie zu stützen.

»Gib mir nur ein Wasser, dann ist gut«, sagte sie.

Aber Katharina sah, dass es nicht gut war, und so half Heinrich mit, die Mutter ins Schlafzimmer zu führen. Dort lag sie dann und schlief bis in den Abend.

Maria war oft schwindlig. Es musste nichts zu bedeuten haben. Manchmal war sie umgefallen. Einmal in der Kirche. Da hatte sie sich am Kopf verletzt. Die Frauen waren beiseitegetreten. Hatten ihr Platz gemacht, und sie hatte sich an der Kirchenbank die Stirn angehauen.

Auch dem Walter war oft nicht gut. Er mochte die Mama so gern, dass ihm auch nicht gut war. Er zog sich einfach nie die Strümpfe an, lief immer mit eisigen Füßen und einer Rotznase herum. Lorenz wusste nicht, wie er ihm beibringen sollte, dass er sich das Hemd hinten und vorne hineinsteckt und bei der Kälte nicht barfuß herumrennt, auch im Haus nicht.

»Wir dürfen nicht krank werden!«, sagte er.

Er hatte schon Katharina zur Rede gestellt, weil es eigentlich ihre Aufgabe war, auf den Kleinen aufzupassen. Sie hatte nur gesagt, er soll sich nicht aufregen. Er sei nicht der Vater.

Maria war schwanger. Meine Mutter war in ihrem Bauch.

Jeden Sonntag in diesem Dezember ging Maria mit den Kindern ins Dorf hinunter und in die Kirche, rechts und links des Weges lagen fast zwei Meter Schnee in diesem Winter, und Temperaturen herrschten über viele Tage bis auf minus zehn Grad herunter, dazwischen Föhnstürme, die wärmten die Luft für zwei Tage auf bis zu zwanzig Grad. Dann über Nacht stürzte die Kälte wieder herein, und Schnee fiel, dass man auf dem Bock nicht die Ohren der Pferde sehen konnte. Eiszapfen hingen vom Scheunendach wie die Schwerter von Bergriesen. Tag und Nacht zog das Pferd den Schneepflug über die Wege und schaufelten die alten Männer, die man im Krieg nicht brauchen konnte, die Schellen am Zaumzeug waren Tag und Nacht zu hören, und einmal – alle waren schon in der Kirche, aus den Mündern dampfte es, aus dem Weihrauchfass in Walters Händen dampfte es, seit Neuestem war er Ministrant, weinend hatte er gebettelt, Ministrant sein zu dürfen, auf die Knie war er vor Maria gegangen, wie es der Pfarrer den Schülern beigebracht hatte, in ihren besten Kleidern waren alle in der Kirche, Frauen und Mädchen links, die Männer und die Buben rechts –, da öffnete sich der Haarknoten an Marias Hinterkopf, sie nahm das Schultertuch ab und versuchte, die Haare neu aufzustecken. Was ihr immer spielend gelang, gelang ihr diesmal nicht. Da hätte sie weinen können. Alle Frauen haben sich zu ihr umgedreht. Ein einziger Klagelaut war ihr nämlich entschlüpft. Herzzerreißend war der. Lorenz, Heinrich und Katharina hatten den Hals eingezogen.

Die Bagage kniete hinten in der letzten Bank. Auf der Frauenseite. Alle eng beieinander. Auch als Josef noch da war, knieten, standen und saßen sie hinten auf der Frauenseite, zwischen ihnen und den letzten anderen waren zwei bis drei Bankreihen leer. Die meisten Männer waren während der Messe draußen und politisierten, rauchten, kauten Tabak und spuckten, sodass der Schnee voller brauner Flecken war, zur Wandlung kamen sie herein, knieten sich neben ihre Söhne, wischten sich Kreuzzeichen übers Gesicht und machten verlegene Mienen, als würden sie bei etwas Peinlichem erwischt. Josef beteiligte sich nicht an den Diskussionen draußen, er blieb bei der Familie, war immer bei den Seinen geblieben in der Kirche. Er glaubte nicht an den Himmel und schon gar nicht an die katholische Kirche, die Pfaffen hielt er für überflüssige Existenzen, Nichtsnutze, an die Heiligen glaubte er auch nicht, an die glaubte seine Frau, eher an die Heiligen glaubte Maria als an den lieben Gott, der war zu weit weg und hatte selber nichts erlebt, über die Heiligen gab es immerhin Geschichten. Die heilige Katharina zum Beispiel wurde zwölf Tage gegeißelt, sie bekam von ihren Peinigern nichts zu essen, und doch überlebte sie, weil in der Nacht ein Engel kam und ihre Wunden salbte und ihr Brot und Milch brachte. Josef stand während der Messe da, die Arme lang, die Hände vor sich gekreuzt, und ließ die Gedanken frei wandern. Auch bei der Wandlung blieb er stehen. *Herr, ich bin nicht würdig, dass du eingehst unter mein Dach, aber sprich nur ein Wort, und so wird meine Seele gesund.* Wenn gepredigt wurde, setzte er sich, aber es war ihm nicht anzusehen, ob er zuhörte oder nicht. Eine Krawatte hatte er nicht um, nie. Weißes Hemd. Andere hatten karierte Hemden an, am Sonntag wie am Werktag, am Sonntag halt mit Krawatte.

Warum haben sich meine Leute immer absichtlich abgesondert? Warum? Warum blieben sie hinten in dem Tal, ganz hinten obendrein? Wenn sie schon mit den anderen nichts zu tun haben wollten, warum blieben sie dann dort? Marias Schwager und Marias Schwester hatten ja nicht nur einmal das Gespräch darauf gebracht, dass man nach Bregenz ziehen könnte, ein großes Haus bauen könnte, gemeinsam einen Betrieb organisieren könnte, der Schwager wäre der Kaufmann, Josef zuständig fürs Geld, fürs Finanzamt und die Tricks, die dort notwendig waren, für die Buchhaltung. Lorenz, der gute Rechner, hätte eine Zukunft, eine Zukunft in der Familie, an der Seite seines Vaters, später an der Stelle seines Vaters. Der Schwager war nicht im Krieg. Er war zu Hause nicht abkömmlich. Er war im Zivilen wichtig. Er besaß eine diesbezügliche Bescheinigung. Und es waren keine unguten

Leute, die Schwester und der Schwager, ganz im Gegenteil. Das musste auch Josef zugeben. Der Schwager redete viel, aber gut, im Vergleich zu Josef redeten alle viel. Der Schwager war erfolgreich und anständig. Das gab Josef zu. Obwohl er im Allgemeinen der Meinung war, diese beiden Dinge passten nicht zusammen.

Als Maria mit meiner Mutter schwanger war, fielen ihr die Heiligen wieder ein. Sie habe in dieser Zeit viel gebetet, erinnerte sich meine Tante Kathe. Zur Mutter Gottes hauptsächlich, die ja ihre Patronin war. Mit den Müttern kann man reden. Über den heiligen Lorenz hatte sie erst später erfahren, der war ihr unheimlich, einer, der auf dem Grill zu Tode geröstet wird und sich über seine Henker lustig macht. Wenn sie die Geschichte früher gekannt hätte, hätte sie ihren Sohn anders genannt. Von einem heiligen Heinrich und einem heiligen Walter hatte sie nie gehört. Meine Tante Kathe sagte, ein klein wenig habe sich ihre Mutter deswegen Vorwürfe gemacht. Aber auch nur manchmal. Die meiste Zeit sei ihr alles, was mit Religion zu tun habe, von Herzen egal gewesen.

»Kathe«, sagte ich – ich glaube, so ab ihrem siebzigsten Jahr nannte ich sie nicht mehr Tante, sondern nur noch bei ihrem abgekürzten Vornamen. »Kathe.«

»Was?«

»Ich will dich etwas fragen.«

»Was?«

»Aber sei mir nicht böse.«

»Tu nicht herum! Frag!«

»Weißt du hundertprozentig genau, dass meine Mama von eurem Vater ist?«

»Auf diese Frage hin solltest du eigentlich eine fangen!«
Das war ihre Antwort.

»Gut«, sagte ich, »jetzt hast du gesagt, was du sagen musst.
Und jetzt frage ich dich dasselbe noch einmal: War meine
Mama hundertprozentig deine Schwester?«

»Hundertprozentig!«, sagte Tante Kathe. »Du bist hundertprozentig eine aus der Bagage.« Ja, ja, sie wisse schon, was in
meinem schrägen Kopf vor sich gehe, sprach sie weiter. Dass
ihre Mama deshalb auf einmal aufs Beten gekommen sei, weil
sie ein schlechtes Gewissen gehabt habe. »Denkst du das?«

»So ungefähr denke ich.«

»Das ist aber ein Blödsinn!«

»Und mit dem rothaarigen Deutschen aus Hannover hat
sie nichts gehabt?«

»Nein.«

»Woher willst du das so genau wissen?«

»Ich weiß es eben. Punkt.«

Ihrer Schwester hatte Maria vorgeschwärmt, schon als sie
beide Schulmädchen waren, dass sie einmal eine ganz große
Liebe erleben werde, eine gewaltige, die sie vom Boden weg-
reiße. Ohne so eine große Liebe sei das Leben einer Frau
nichts wert. Marias Schwester hatte die Sache pragmatischer
gesehen. Dass ein Mann einer Frau ein gutes Leben bieten
müsse, hatte sie schon damals als junges Ding gesagt, mehr
könne eine Frau nicht erwarten von einem Mann. Unter einem guten Leben verstand sie ein besseres als bis dahin. Das
sei sehr bescheiden, hatte Maria darauf geantwortet. Mit siebzehn hatte ihr Josef einen Heiratsantrag gemacht. Sie war zufrieden mit diesem Mann, er hatte ihr Leben verbessert. Nicht
ökonomisch. Er war sogar ärmer, als Maria von Haus aus war.

Ökonomisch war Josef ein Abstieg. Aber er gab dem Menschen einen Wert. Auch wenn er nie darüber sprach, das hätte er nicht können, er hatte nicht viel Worte zur Auswahl, aber aus allem, was er war und wie er war, sprach, dass der Mensch nicht nach dem gemessen werden soll, was in seinen Taschen klimpert. Unter diesem Aspekt hatte er Marias Leben verbessert. Das sei allerdings ein merkwürdiger Aspekt, sagte ihre Schwester dazu. Abbeißen könne einer von diesem Aspekt nicht. Nein, nicht, gab Maria zu. Außerdem liebte sie Josef und war auch schon gierig nach ihm gewesen, aber sollte er nicht aus dem Krieg zurückkehren, würde sie zu Georg hinauf nach Hannover gehen. Wenn es sein musste, zu Fuß. Warum nur konnte sie kein anderer Mensch sein! Keine einzige Spinnwebe war in den Ecken ihres Hauses, kein Staubknödel, nichts Fettiges, nichts Klebriges, keine stinkenden Socken, keine schweißigen Hemden. Sie würde die geordnetsten Verhältnisse zurücklassen, die sich einer ausdenken kann.

Zu Weihnachten 1914 kam Josef noch einmal nach Hause, das letzte Mal im Krieg. Unverhofft. Es gab Soldaten im Dorf, die hatten noch gar keinen Urlaub gehabt. Deren Frauen waren verzweifelt. Eine hatte noch nicht eine einzige Nachricht von ihrem Mann erhalten, nicht eine. Nicht einmal, ob er noch lebte, wusste sie. Es gab Soldaten, die hatten vier Jahre keinen Urlaub, sie waren für Kaiser und Monarchie in den Krieg gezogen, und als sie heimkehrten, war der Kaiser tot und die Monarchie abgeschafft. Josef hatte bereits den zweiten Urlaub in einem halben Jahr. Allgemein war man der Meinung, das habe Josef wieder einmal mit seinen Geschäftchen hingekriegt. Aber nicht einer hätte sagen können, was das für Geschäftchen sein könnten, die es dem ärmsten Bauern des ärmsten Dorfes der ganzen Monarchie ermöglichten, die große Militärmaschine des Kaisers zu seinen Gunsten herumzukriegen.

Der Postadjunkt war durch den Schnee gestapft, hatte nach Maria gerufen und mit einem Brief gewedelt. Eine offizielle Mitteilung an die Frau des Soldaten. Genau genommen war es kein Brief, einen Brief würde er nie lesen, versicherte der Adjunkt, das verbieten Anstand und Pflicht, dies Schreiben sei offen ohne Kuvert angekommen. Josef sei ausgelost worden für einen Heimaturlaub. Das stand da. Getippt. Mit Stempel.

»Losen die das aus?«, fragte Maria.

»Ich habe das auch nicht gewusst«, sagte der Adjunkt, außer Atem war er und glücklich. »Man lernt immer dazu. Was sagt man da. Aber gute Nachrichten lernt man gern dazu. Ist es nicht so?«

Maria war misstrauisch. »Zufall also?«

»Jawohl.«

»Zufällig wie der Tod soll auch der Urlaub sein?«

»Muss ich ein schlechtes Gewissen haben, weil ich nicht im Feld bin?«, fragte der Adjunkt.

»Ganz sicher nicht«, sagte Maria. Und dann überwand sie alle Scham und sagte: »Darf ich dich um einen Gefallen bitten?« und wandte sich ab, damit sie nicht sehen musste, wie das Blut ins Gesicht vom Adjunkt stieg. »Willst du für einen Moment hereinkommen?«

Sie wusste nicht, was sie ihm anbieten sollte. Sie hatte nämlich nichts. Gar nichts. Seit der Bürgermeister keine Gaben mehr brachte, war es eng geworden mit Vorräten. Einmal in der Woche schickte sie Heinrich oder Katharina ins Dorf, um Brot einzukaufen. Ein bisschen Geld hatte sie noch. Es kam vor, dass die Frau im Laden, die Else, der Katharina einen zweiten Weggen in den Rucksack schob. Über dem Tisch in der Küche hing von der Decke herunter die Schwarte vom Speck, den der Bürgermeister als Letztes dagelassen hatte. An der rieben die Kinder ihre Brotronken. Damit wenigstens ein Geschmack war. Der Adjunkt lockerte die Krawatte und öffnete den Kragen. Warm war es in der Küche. Holz zum Heizen gab es genug. Lieber Hunger als kalt. Das war die Devise von der Bagage und ist die Devise bis heute herauf zu mir.

»Versprichst du, dass du keinem etwas sagst?«

»Ich verspreche es«, antwortete der Adjunkt.

»Ich trau mich mit dir so zu reden«, sagte sie und nahm seine Hand und hielt sie fest, »weil ich dich für den anständigsten Mann hier halte.«

»Danke«, sagte der Adjunkt. »Aber es gibt andere sicher auch.«

»Nein, keine.«

»Dann noch einmal danke.«

»Du denkst sicher, ich sag das nur, weil ich etwas von dir will.«

»Nein, das denke ich nicht«, sagte der Adjunkt.

Tatsächlich war es aber so. »Ich bettle«, sagte Maria.

»Das verstehe ich nicht«, sagte der Adjunkt.

»Ich bettle dich an.«

Er verstand es immer noch nicht.

»Ich habe nichts mehr.«

Immer noch nicht.

»Nichts zu essen mehr.«

Immer noch nicht verstand er es.

»Die Kinder und ich, wir haben nichts zu essen«, sagte sie und musste ihre Ungeduld beherrschen. »Die Kühe haben Heu und die Ziege auch. Wir haben nichts. Der Hund holt sich, was er braucht, ich weiß nicht, woher, und die Katze auch. Nur Milch zum Trinken haben wir. Und wenn Josef aus dem Krieg kommt zu Weihnachten, haben wir auch nichts ...«

»Es ist mir eine Ehre«, unterbrach sie der Adjunkt schnell. Das war sehr vornehm von ihm. Er wollte ihr ersparen, die Sachlage noch genauer beschreiben zu müssen.

Diesmal kam Josef nur für zwei Tage. Exakt nach Stunden berechnet, nur für eineinhalb Tage. Er war erschöpft, anders, fremd, klein, müd, scheu, schmal, sprach kaum, lag nicht bei der Frau, bekam nicht mit, dass sie schwanger war. Sie sagte es auch nicht. Sie war im zweiten Monat. Er wolle niemanden sehen außer die Familie, sagte er. Alles Licht tat ihm in den Augen weh. Vor die Kerze musste etwas hingestellt werden. Gegen seine Gewohnheit wusch er sich auch nicht ausführlich. Alles schien ihm übrig. Die Reise hierher sei lang gewesen, sagte er, aber gut. In der Eisenbahn. Viel mehr redete er nicht. Die Kinder hielten Abstand. Als er wieder verschwand, war es, als wäre er gar nicht da gewesen. Grad, dass die Abdrücke von den derben Soldatenstiefeln im Schnee zu sehen waren. Maria fiel es schwer, sich zu erinnern, wie ihr Mann vor dem Krieg gewesen war. Das schien ihr ein sehr schlechtes Zeichen.

Aber einen Braten hatte es gegeben am 24. am Abend. Einen Schweinsbraten. Dazu Erdäpfel und Sauerkraut. Und eine Flasche Wein. Und gedörrte Birnen. Alles vom Adjunkt.

Maria hatte es ihm mit ihren Tränen gedankt. Die waren ihr geflossen wie den Schauspielerinnen auf der Bühne. Kommandotränen. Das hatte sie irgendwann gelesen. Auch diesen Ausdruck, den hatte sie sich gemerkt. Dass Schauspielerinnen unter anderem weinen können müssen. Auf Kommando. Sie und ihre Schwester hatten das als Jugendliche geübt. Der Schwester war es nie gelungen. Maria schon. Die Schwester hatte einen Lachkrampf gekriegt. Daran hatte sich Maria erinnert, als der Adjunkt mit dem Schlitten gekommen war, an einem Seil über den Rücken hatte er ihn hinter sich hergezogen. Auf dem Schlitten hatte er Säcke voll mit guten Sachen festgebunden. Darüber eine Plane, damit niemand sieht, was es ist. Sie hatte ihm die Hand gegeben und hatte sie lange gehalten und ihm fest ins Auge geblickt und den Tränen befohlen zu fließen, und sie waren geflossen. Da waren auch die Tränen aus den Augen des guten Mannes geflossen. Einen schöneren Dank hätte es für ihn nicht geben können. Marias Tränen waren das schönste Weihnachtsgeschenk.

Josef hatte auch diesmal Geld mitgebracht, er gab es Maria und sagte, sie solle es gut aufbewahren. Sie nähte für jeden aus der Familie ein kleines Säcklein aus Leinen, darin verteilte sie das Geld, der Vater bekam am meisten, die Kinder nach Alter, für sich selber wollte sie keines. Die Säcklein legte sie unter den Christbaum. Den hatte Heinrich im Wald geschlagen. Die Spitze bog sich an der Decke. An den Zweigen hingen ausgeschnittene Pappfiguren, die Maria und die Kinder an den Abenden mit Buntstiften angemalt hatten. Die Buntstifte hatte Katharina von einer Mitschülerin ausgeborgt. Sie selbst besaß nur einen blauen. Sechs Kerzen brannten, für jeden aus der Familie eine.

»Schön«, sagte Josef. »Sehr schön. Wir haben auch einen. Auch einen fast so schönen.«

Sie fragte nicht nach.

Als Josef wieder abgefahren war, verwahrte Maria die Säcklein mit dem Geld unter einem Dielenbrett. Darauf stellte sie den Christbaum.

Noch etwas, wichtig! Einen Zuckerkuchen hatte sie für den Heiligen Abend gebacken, denn auch Mehl und Zucker hatte der Adjunkt gebracht. Und ein Stück Hefe mit einem Weihnachtsgruß von seiner Mutter. Und eine Handvoll Rosinen. Und Butter.

Sie hatten gemeinsam in die Christmette gehen wollen, Josef, Maria, Heinrich, Katharina, Lorenz, Walter, kehrten aber um, zu viel Schnee war gefallen, und am 24. war der Pflug nicht unterwegs, jedenfalls nicht bis nach hinten, wo das Tal endete. Das Singen unter dem Christbaum war anstrengend, weil Katharina nicht, Heinrich nicht, Lorenz schon überhaupt nicht, nur Walter das *Stille Nacht, heilige Nacht* auswendig konnte. Josef stand da, die Arme lang, die Hände vor sich verschränkt. Wie in der Kirche. Es war ihm nicht anzusehen, was er dachte. Walter spielte mit dem Jesuskind aus Gips, es fiel zu Boden und zerbrach. Auch das schien Maria ein schlechtes Zeichen.

Zum Abschied umarmten sich die Eheleute. Aber Maria brachte es nicht heraus, ihrem Mann zu sagen, dass sie schwanger war. Sie schrieb es ihm ins Feld. Er schrieb zurück, er glaube nicht, dass er noch einmal Urlaub bekomme. Er freue sich auf das Kind. Seine Leute hätten einen Schnaps ausgegeben und ihn hochleben lassen. Wenn es ein Bub werde, wünsche er sich, dass er Josef heiße, wie sein Vater.

Bis zum Ende des Krieges kam der Vater nicht mehr nach Hause. Manchmal brachte der Adjunkt einen Brief von ihm. Dann gab ihm Maria einen Brief mit. Josefs Briefe waren selten länger als vier Zeilen. Dass es ihm gut geht. Dass sie sich nicht sorgen soll. Wie es den Kindern geht. Dass er sich freut, wenn der Krieg zu Ende ist und sie wieder eine Familie sind. Dass die Sache für den Kaiser gut steht. Das stand in jedem Brief. Es hieß, das müssten die Soldaten schreiben. Wenn sie es nicht tun, bekämen sie einen Anschiss. Sie antwortete ähnlich knapp.

Bald sah man den Bauch. Bald hatte jeder im Dorf den Bauch der Maria Moosbrugger wenigstens einmal schon gesehen. Woher dieser Bauch? Es wurde nachgerechnet. Die Urlaubszeiten des Mannes auf die Stunde genau. Eingerechnet die Verfassung eines Mannes, der von der Front kommt. Quergerechnet die günstigen und die ungünstigen Empfängnistage. Und dies noch und jenes noch. Das Ergebnis fiel zu Marias Ungunsten aus.

Der Pfarrer kam zweimal. Das erste Mal allein, das zweite Mal nicht allein.

Beim ersten Mal sagte er: »Warum sehe ich dich nie bei der Beichte, Maria?«

Sie zuckte mit der Achsel. Sie hatte ihn nicht gebeten, am Küchentisch Platz zu nehmen. Der Pfarrer war der Meinung, für einen geistlichen Herrn ist in jeder Stube zu jeder Zeit ein Platz reserviert.

»Willst du jetzt beichten?«, fragte er.

»Hier in der Küche?«, fragte sie zurück.

»Die Gnade des Herrn waltet überall.«

»Nein, ich will nicht beichten.«

»Gibt es gar nichts, was du beichten möchtest, Maria?«

»Wissen Sie, was ich beichten könnte?«, fragte sie.

Halt! Ich muss hier unterbrechen. – Über dieses Gespräch zwischen meiner Großmutter und dem Pfarrer ist viel in unserer Familie spekuliert worden. Jeder hatte eine Geschichte parat, keiner wusste genau, wie es gewesen war. Mein Onkel Lorenz zum Beispiel behauptete, seine Mutter habe dem Pfaffen das Maul angehängt. Ich denke, das war seine Version, weil er an ihrer Stelle dem Pfarrer das Maul angehängt hätte. Er war derselben Meinung wie sein Vater, dass so einer eine überflüssige Existenz sei, ein Nichtsnutz. Onkel Heinrich erzählte, die Mutter habe geweint, nur geweint. Er erinnere sich, dass die Mama – er nannte Maria noch als Erwachsener »Mama«, als Einziger, die anderen sprachen von ihr als ihrer Mutter –, dass die Mama in dieser Zeit von morgens bis abends geweint habe. Also hat sie auch geweint, als der Pfarrer da war. Er, Heinrich, vermute, dass der Pfarrer das Weinen als Eingeständnis ihrer Schuld gewertet habe. Tante Kathe erinnerte sich, der Pfarrer, den sie als einen besonders unguten Typen in Erinnerung habe, habe herumgebrüllt und ihrer Mutter die Hölle aufs Haupt gewünscht und habe sie zwingen wollen zuzugeben, dass das Kind in ihrem Bauch von einem anderen komme, nicht vom Vater, und da habe die Mutter den Geistlichen aus dem Haus gewiesen. Darum die böse Rache von dem Mann.

Und noch etwas erzählte Tante Kathe: Der Walter nämlich, der Kleine, der gerade einmal sechs Jahre alt war, der sei dem Pfarrer nachgelaufen und habe ihn unten beim Brunnen gestellt, ja, gestellt habe er ihn, habe ihn an dem schwarzen Talar gezogen und ihn angeschrien, dass sie es bis hinauf ins Haus hätten hören können:

»Du bist ein böser Mensch!«, schrie Walter den Pfarrer an. »Du kommst in die Hölle!«

Am nächsten Tag war der Pfarrer wieder da, nicht allein diesmal, diesmal zusammen mit einem Burschen, dem er befahl, die Leiter aus der Scheune zu holen, hinaufzuklettern und das Kruzifix neben der Haustür abzumontieren, mit dem Stemmeisen. Im Haus kauerte Maria mit ihren Kindern im Dunkeln auf dem Ehebett, alle drückten sich aneinander, sogar Lorenz kroch an seine Mutter heran, jetzt hatte auch er Angst. Auch wenn sie alle miteinander nicht so hundertprozentig an den Himmel, und was dort oben ist, glaubten, sahen sie jetzt doch noch obendrein eine Gefahr von dort und nicht nur die Gefahren auf der Erde.

»Du hättest ihm nicht nachlaufen sollen und ihm sagen sollen, dass er in die Hölle kommt«, flüsterte Heinrich.

Walter flüsterte zurück: »Ich weiß aber, dass er in die Hölle kommt.«

Maria flüsterte: »Von der Hölle wissen wir alle miteinander nichts.«

»Ich schon«, beharrte Walter.

Weiter ging die Kunde, und keiner war mehr unter den Leuten, der nicht von Maria und dem Kind in ihrem Bauch wusste und nicht die Nachrechnungen kannte, die alle und eindeutig zu ihren Ungunsten ausgefallen waren. Ein böses Gerede war. Bei der Bagage kam eben viel zusammen. Die Geschäftchen vom Vater, über die niemand etwas Genaueres wusste. Die viel zu große Schönheit der Frau. Die Bevorzugung des Vaters als Soldat, weil er erstens immer noch lebte, zweitens schon zweimal Fronturlaub bekommen hatte. Die mehr als merkwürdigen Rechenkünste von Lorenz, die sogar den Lehrer in den Schatten stellten, angeblich konnte Lorenz in kürzester Zeit im Kopf zwei dreistellige Zahlen miteinander multiplizieren. An Zauberei glaubte niemand mehr, aber damit zu rechnen war allemal.

Der Bürgermeister wurde nach der Bagage ausgefragt. Aber er sagte nichts. Schließlich war er vor dem Krieg mit Josef sehr eng gewesen. Siehe Geschäftchen. Und dass er für sie von seinem Tisch abzweigte, war auch bekannt. Und dass er das nur aus Nächstenliebe tat, durfte angezweifelt werden. Vielleicht hatte ihn der Josef in der Hand. Siehe Geschäftchen. Er soll doch endlich sagen, was mit denen ist.

»Dazu äußere ich mich nicht«, sagte er.

»Warum nicht?«

»Darum nicht, du Trottel!«

»Weil du mehr weißt?«

»Weil ich mich dazu nicht äußere, du Trottel! Was seid ihr für eine verschlagene Bande! Eine Ansammlung von giftigen Schlangen! Das ganze Dorf ist ein einziger Scheißhaufen! Ihr seid alle miteinander nicht so viel wert wie das, was im Spucknapf vom Josef klebt!«

Dass Walter dem Pfarrer nachgelaufen war und ihn gestellt hatte, erzählte mir Tante Kathe leider erst, als ihr Bruder längst schon tot war. Ich sage leider, weil ich meinem Onkel gern dazu gratuliert hätte. Ich denke gern an ihn. Er war der Lustigste aus der Bagage. Es wurde behauptet, die Frauen hätten ihn geliebt und gewollt und ihm alles verziehen und er habe jede bekommen, die er wollte. In meinen Augen war er kein schöner Mann. Kann sein, dass sich das Ideal mit den Jahren geändert hat. Er war groß, breitschultrig und hatte eine athletische Figur, obwohl er keinen Sport betrieb – seine dünne sommersprossige Haut, seine roten Haare, Haare an den Armen, auf der Brust und am Handrücken weißlicher Flaum. Er arbeitete weniger als seine Brüder, war viel auf Sauftouren. Er nahm sich eine mollige Frau mit schönem Gesicht, die bald dick wurde. Dann gefiel sie ihm nicht mehr. Sie hatten fünf Kinder und wohnten in einem unverputzten Haus. Er verschaute sich in eine Frau, die auf den Strich ging. Das fand er ideal. Nie musste er Rechenschaft ablegen. Seine angetraute Frau nahm sich einen Liebhaber, der sie oft und ungeniert besuchte, er war Handelsvertreter und fand es sehr gemütlich bei der dicken Frau. Sie war es auch, die mich den Foxtrott lehrte. Als sich Onkel Walter von der Prostituierten angeödet fühlte, gab er sie weiter an seinen jüngsten Bruder Sepp. Der heiratete sie.

Nie sprachen die Brüder miteinander von der Vergangenheit. Sie waren aus dem Boden gewachsene Männer, die eingingen, als nichts mehr zu erwarten war.

Katharina lernte in der Schule doppelt so viel, doppelt so schnell, doppelt so sicher, und der Lehrer hatte Respekt vor ihr. Er sagte zu ihren Mitschülern, Katharina könne schließlich nichts dafür, dass ihre Mutter eine Hure sei.

»Das hat er wörtlich so gesagt«, erzählte Tante Kathe und spuckte aus und zischte, und es hörte sich nicht an, als würde eine fast Hundertjährige fluchen, sondern wie der Zorn eines Kindes: »Der verreckte Hund! Sagt vor der ganzen Klasse, unsere Mama sei eine Hure! Ich hoffe, der schmort unten!«

Sie war dagestanden, vor der Klasse, als der Lehrer so über ihre Mutter gesprochen hatte. Katharina traute sich nicht, vom Boden aufzuschauen. Die Mitschüler und Mitschülerinnen wollten nicht bei ihr anstreifen. In der Garderobe ließen sie zwischen ihrer Jacke und ihren Mänteln mindestens einen Nagel Abstand. Eine Freundin hatte sie, die ihr heimlich Zopfbrot zusteckte und ihr kleine Brieflein schrieb, worin stand, dass sie zu ihr halte, es aber nicht zeigen dürfe.

Für Heinrich war es sein letztes Jahr, dann war er ausgeschult. Er war immer sehr leise in der Klasse gewesen, und dass auch er nun Feindschaft zu spüren bekam, kränkte ihn tief.

Maria trug Walter auf dem Arm, obwohl er schon viel zu schwer war und nun bald auch ein offizielles Schulkind sein würde, und hopste mit ihm in der Küche herum, dass es im Kasten nur so schepperte, sie hoffte auf eine Fehlgeburt, aber dafür war es zu spät. Sie glaubte zu wissen, dass sie ein Mädchen bekommt, weil ihr nicht übel war. Übel war ihr nur bei den Buben gewesen. Bei Katharina war ihr schwindlig gewesen, aber übel nicht. Als ob bei einer Fehlgeburt die Gerüchte gleich mitsterben.

Im Juli schickte sie Lorenz zu ihrer Schwester mit der unbedingten Bitte, sie solle kommen und sie holen, es drehe sich um Leben und Tod. Lorenz ging um vier Uhr in der Früh los, um Mittag war er bei der Tante, der Onkel spannte an, und am Abend war Maria bei ihrer Schwester. In guten Händen war sie. Eingewickelt in Tüchern. Mit warmem Tee versorgt. Mit einem Stück Schokolade auf dem Teller. Lorenz, Katharina, Heinrich und Walter blieben allein im Haus zurück. Maria brachte ein Mädchen zur Welt. Es wurde in L. getauft, notgetauft, von Marias Schwester, weil sich der Pfarrer weigerte. Auf den Namen Margarethe wurde das Kind getauft. Nach einer Woche war Maria wieder zu Hause.

Im dritten Kriegsjahr ging es niemandem mehr gut. Der Adjunkt und seine Mutter hatten nur noch wenig zu verschenken. Eigentlich nichts mehr. Im Sommer Äpfel. Einmal Kirschen, aber Kirschen hatte Maria selber welche. So sehr schämte er sich deswegen, dass er sich nicht mehr hinauf zu Maria traute. Sie suchte ihn. Er ließ sich verleugnen. Von nun an ging sie nicht mehr ins Dorf. Einmal klopfte es an der Tür, draußen standen ein Mann und eine Frau, er den Hut tief, sie das Kopftuch tief, zuerst erkannte sie die beiden nicht, als sie den Vorhang in der Küche beiseiteschob, sie fürchtete, wieder beschimpft zu werden, beschuldigt zu werden, verflucht zu werden, und machte nicht auf, setzte sich auf den Küchenboden, damit sie nicht gesehen werde, falls der Mann der Frau die Räuberleiter machte, die Grete zog sie zu sich heran und deutete ihr, still zu sein, was nicht notwendig gewesen wäre. Später stellte sich heraus, es waren Wohlmeinende gewesen, die nur sagen wollten, dass sie die Maria für eine anständige Frau halten und sich nicht vom Pfarrer aufhetzen lassen.

Einmal fragte der Pfarrer von der Kanzel herunter, wo denn die Bagage sei, man habe sie doch immer in der letzten Bank sitzen sehen. Aber eben nicht alle im Dorf hießen gut, was der Pfarrer aufführte mit seiner Moral. Ein Mann, wer es war, wusste hinterher niemand, rief in die Predigt hinein: »Es reicht jetzt! Aus!« Und ein anderer habe sogar, nicht gerufen, aber gemurmelt, der Pfarrer soll's Maul halten. Immerhin waren Josef und Maria Hiesige, der Pfarrer war von irgendwoher gekommen.

Sie hatten Hunger. Und nun waren sie zu sechst, den Vater nicht mitgerechnet.

Die kleine Grete war einfach. Sie weinte selten, sie tollte nicht herum. Am liebsten war sie bei der Mama. Maria hob sie auf ihre Hüfte, wo sie sich anklammerte, oder nahm sie auf den Schoß und öffnete ihre Strickjacke und legte sie um den Rücken des Kindes und den Kopf.

»Das ist dein Häuschen«, sagte sie.

Für Katharina war sie eine Puppe. Grete ließ alles mit sich machen. Sie lächelte sanft und schaute ihren Geschwistern in die Augen. Walter faltete aus Zeitungspapier einen Napoleonhut und setzte ihn ihr auf und strich ihr die Haare zurecht. Heinrich schnitzte aus einer langen Dachschindel einen Stock mit vorne einem Kapitänskopf, er war geschickt in solchen Sachen, den drückte er Grete in ein Händchen. Sie saß mitten auf dem Küchentisch, ernst, still, sanft. Katharina fragte die Mama, ob sie den roten Stoff, den schönen, ausleihen dürfe, sie schneide nicht daran herum, als Königsmantel für die Grete. Links neben das Kind auf dem Küchentisch und rechts von ihr drückte sie je ein Kissen, ein drittes gab sie an ihren Rücken. Das war der Thron. Darüber drapierte sie den Stoff. Maria hatte ihn aufbewahrt, irgendwann wollte sie sich daraus ein Kleid nähen. Man näht sich kein feines Kleid, wenn nicht viel mehr als Kartoffeln und Mehlbrei auf den Tisch kommen. Außerdem war der Stoff ein Geschenk des Bürgermeisters gewesen, daran dachte sie nicht gern.

»Du bist unsere Königin«, sagte Katharina. Da war Grete noch nicht drei Jahre alt. »Sag: Ich bin eine Königin!«

Grete sagte: »Königin.«

»Sag: Königin Grete.«

»Königin Grete.«

»Sie hat es schon wieder gesagt!«, rief Katharina ihrer Mutter zu und jauchzte.

Königin Grete war meine Mama. Sie wollte bestimmt keine Königin sein, sie wollte nicht auffallen, wollte unsichtbar sein. Wenn ich an sie denke, sehe ich sie im Bett liegen und ein Buch lesen. Sie liegt im Wohnzimmer auf dem Sofa, ihr Federbett ist eine Wolke über ihrem Körper. Sie war krank, beinahe immer war sie krank. Immer wieder liegt sie im Spital, weil ein Stück aus ihr entfernt worden ist, immer wird sie magerer. Im Spital besuchten wir sie nicht, das war zu weit für uns. Sie kochte nichts, außer Schokoladenpudding mit einer Scheibe Butter. Wir wohnten in einem Kriegsopfererholungsheim, unser Vater war Invalide, ein Bein war ihm in Russland abgefroren. Er saß auf einem Lastwagen. Er war der Verwalter des Heims, er bekam einen Lohn, und wir wohnten gratis. Eine Köchin kochte für die Kriegsopfer und für uns. Wie bei Herrschaften.

Unsere Mutter lag unter ihrer Wolke und las in einem Buch. Die Autorin hieß Sigrid Undset, und das Foto auf dem Umschlag zeigte eine Frau, die um den Kopf einen Haarzopf trägt. Sie sieht hübsch aus, etwas mollig, aber so seien die Frauen damals gewesen, sagte unsere Mutter. Der erste Satz in dem dünnen Buch hieß: »Ich habe meinen Mann betrogen.« Das habe ich mir gemerkt. Meine Mutter liest laut, und wir verstehen kaum etwas von der Handlung. Meine Schwester ist neun, ich bin sieben Jahre alt. Alles um sie herum lässt unsere Mutter geschehen, nichts stört sie, es ist, als wäre sie gar nicht da.

In einer Dokumentation lese ich: *Am 23. Oktober 1956 brach in Ungarn der erste bewaffnete Aufstand Osteuropas gegen die Sowjetherrschaft und den Kommunismus aus. Die Intervention der sowjetischen Panzer verwandelte den Aufstand blitzschnell in einen Freiheitskampf für die nationale Unabhängigkeit.*

Ungarische Flüchtlinge wurden im Kriegsopfererholungsheim aufgenommen. Alles war mehrfach besetzt, jeder Stuhl, jedes Bett, in den Betten lagen ganze Familien eng aneinander. Jedes freie Plätzchen musste ausgenützt werden. In der Küche waren drei Köchinnen beschäftigt. Nudelwasser dampfte, Fett spritzte. Küchenmädchen putzten Gemüse und Salat. Jeden Morgen stand ein großer Lastwagen vor dem Haus, und Lebensmittel wurden ausgeladen und in den Keller getragen. Mein Vater war mit einem Schreibblock dabei und zeichnete auf, was alles angekommen war.

Unsere Familie, die großzügig in fünf Räumen gewohnt hatte, wurde in zwei Zimmer aufgeteilt, Küche gab es für uns keine, das Essen kam im Speiseaufzug, und von dort holten wir es ab und stellten es auf unseren Tisch. Es kann gar nicht gut schmecken, sagte unsere Mutter, für so viele Menschen zu kochen, muss gelernt sein, und unser Personal war ein provisorisches. Ich sage »unser Personal«, als ob es etwas mit uns zu tun gehabt hätte.

In den Gängen saßen Männer, Frauen und Kinder, Bälle wurden hin- und hergeschoben. Wir schauten neugierig durch unsere Tür, trauten uns aber nicht hinauszugehen. Fremd. Alles war fremd. Die ungarischen Männer trugen Trainingshosen, wie sie so dasaßen, sahen sie aus, als warteten sie, bis ihr Match beginnt. Es roch nach ungewaschener Kleidung und Zigarettenrauch. Unsere Mutter litt darunter. Sie zündete Kerzen an und blies sie wieder aus. Sie legte Tannenzweige zum Trocknen beiseite, und als keine Feuchtigkeit mehr darin war, hielt sie ein Zündholz daran. Sie liebte den Geruch von frischen und von verbrannten Tannennadeln.

Ich fand in meiner Vergangenheitsschachtel ein Foto – ich stehe in der Mitte, zwei Schulmädchen rechts und links, alle in Badeanzügen. Ich war gleich alt wie die Mädchen, aber die Kleinste. Das war zu der Zeit, als unsere Mutter nur mehr im Krankenhaus lag, und ich dachte an sie, während man uns knipste. Wir wussten nicht, wie es um sie stand, wussten nicht, dass sie bald sterben würde, und als sie dann gestorben war, konnten wir es nicht glauben. Fremde Menschen streichelten uns über die Haare und sagten: »Ach, ihr vier armen Halbwaisen!« Das war sehr unangenehm. Wir hatten sie noch im Krankenhaus besucht, und sie sah lebhaft aus, geradezu euphorisch war sie. Bald wurde ihr übel, und man schickte uns aus dem Zimmer. Jetzt weiß ich, das kam vom Morphium.

In unserer Klasse wurden von jedem Schulkind zwei Schilling fünfzig für einen Kranz eingesammelt, es war für mich eine Pein, und am liebsten wäre ich aus dem Fenster gesprungen, um das nicht erleben zu müssen. Ich wäre dann gestorben und mit ihr in den Himmel gefahren.

Als Grete starb, lebten ihre Brüder und ihre Schwestern noch, Königin Grete war die Erste. Und als es geschah, waren ihre Schwestern und Brüder und auch wir, ihre Kinder, meine beiden Schwestern und mein Bruder, wie aus der Welt gefallen, als hätten wir nicht gewusst, dass sie sehr krank war, als gäbe es keine Krankheit, die zum Tod führte, als gäbe es den Tod nicht. Diesen Tag werde ich nie vergessen: Eine Freundin erzählte mir von ihrem Hund, den sie geschenkt bekommen hatte. Sie wollte ihn mir unbedingt zeigen. Gleich. Sofort. Ich sollte sie erst nach Hause begleiten, den Hund bewundern und dann weiter zu meiner Tante zum Mittagstisch laufen. Meine Schwestern und ich wohnten damals bei meiner Tante Kathe, weil unsere Mutter im Krankenhaus lag. Es würde Salzkartoffeln mit Karotten und einem Stück Rindfleisch geben, das zuvor in der Suppe gelegen hatte und ausgelaugt war und dessen Fasern in den Zähnen hängen blieben. Es war ein Samstag. Als ich zu Hause ankam, sah ich meine Schwester ihren Kopf an die Wand schlagen, Tante Kathe weinte in die Suppe hinunter, ich wusste nicht, was geschehen war. Ja, dann, sagten sie es mir im Flüsterton. Unsere Mutter war gestorben. »Die Grete ist tot.«

Und dann war wieder Winter. Und sie hatten gar nichts mehr. Auch keine Speckschwarte, die von der Küchendecke hing. Die letzten Kartoffeln waren nicht mehr genießbar.

Draußen schneite es. So dicht schneite es, dass man von der Küche aus nicht bis zum Brunnen sehen konnte. Lorenz kam von der Schule. Es war Nachmittag. Er schüttelte den Schnee von den Haaren und legte seine Schulsachen in der Küche ab. Grüßte stumm zur Mutter hin, die wie immer Grete auf dem Schoß hatte. Katharina machte mit Walter Hausaufgaben. Lorenz ging in den Stall, sagte zu Heinrich, er solle ihn machen lassen, er solle ins Haus gehen und Brennholz mitnehmen. Inzwischen widersprach Heinrich seinem Bruder nicht mehr. Er zischte dem Hund zu und verschwand mit ihm. Und fragte auch nicht. Lorenz wartete. Stampfte sich die Füße warm. So lange wollte er warten, bis es vom Berg herunter eindunkelte. Dann tat er, was er sich in der Nacht bis ins Kleinste ausgedacht hatte. Er hatte sich vorbereitet, hatte am Morgen ein zweites dickes Paar Strümpfe in der Scheune deponiert, dazu die dicken Handschuhe vom Vater, ein zweites Hemd und die lange Unterhose, die zog er sonst nie an, lange Unterhosen kamen ihm feig vor, anders konnte er es nicht ausdrücken. Nun, in der Scheune, zog er sich die Sachen über, und auch die Mütze mit den wattierten Ohrenschützern, die ebenfalls dem Vater gehörte. Setzte sich auf die Deichsel vom Handkarren und schob die Füße in die Bergschuhe vom Vater, die ihm zu groß waren, aber nicht mehr viel zu groß, mit einem zweiten Paar Strümpfen über den Füßen passten sie. Zuletzt kroch er mit den Armen in den großen Rucksack, der schimmlig roch und nicht gebraucht wurde, weil von nirgendwoher so viele Sachen hätten transportiert werden müssen, dass nicht auch die kleinen Rucksäcke ausgereicht hätten. Dann stapfte er weg aus dem Haus und auf der schmalen, ausgetretenen Rinne im Schnee am Brunnen vorbei hinunter zum gebahnten Weg. Auf dem schritt er ins Dorf, den Kopf gesenkt gegen den Schnee, der aus dem Himmel fiel, und schritt durchs Dorf bis zum letzten Hof am anderen Ende. Dabei pfiff er laut, manche Strophen sang er sogar, es war um diese Zeit niemand draußen, wäre einer draußen gewesen, Lorenz hätte ihn gegrüßt, fast zu auffällig, so hatte er es sich vorgenommen. Wenn, dann sollte man sich an ihn als einen erinnern, der alles andere als etwas Heimliches tat. Der Lorenz von der Bagage, der ist aber fröhlich heute, so sollte einer denken, der ihm begegnete. Wer fröhlich ist, ist harmlos. Niemand begegnete ihm. Bei diesem Schneetreiben verließ niemand die Stube. Aber vielleicht schaute ja jemand aus dem Fenster. Sicher schaute jemand aus dem Fenster. Der würde ihn sehen, harmlos, trotz des Wetters fröhlich.

Im letzten Haus am anderen Ende des Dorfes wohnte ein Schulkamerad, der einzige, mit dem sich Lorenz ab und zu austauschte. Eigentlich mochte er ihn sogar, nur war in meinen Onkel Lorenz schon damals der feste Glaube eingewachsen, er sei einer, der sich von allen fernhält, also folglich auch niemanden mögen darf. Eben auch den Emil nicht. Obwohl er ihn doch irgendwie mochte. Er half ihm bei den Rechenaufgaben und hatte für ihn nicht nur einmal eine bessere Note rausgehauen. Als er beim Haus ankam, war es finster. Er klopfte mit dem Eisenring gegen die Tür.

Emils Mutter öffnete. Schnell zog Lorenz die Mütze vom Kopf. Damit sie ihn gleich erkennt und nicht erst fragen muss und erschrickt.

»Was willst du«, fragte sie, ohne seinen Namen zu nennen.

Das empfand er als unhöflich. Ein bisschen Wut schoss ihm in den Hals, aber beim Adamsapfel bremste er sie ab. Er schluckte und tat so frohgemut, wie er es halt konnte. Er finde sein Lesebuch zu Hause nicht, irgendwie habe es die Grete wahrscheinlich verschlampt, die Kleine verschlampe alles, und sicher finde er es morgen, aber sicher erst nach der Schule, und in der Schule morgen müsse er zwei Seiten vorlesen und er sei im Lesen leider nicht besonders gut, einer sei halt im Rechnen gut, ein anderer im Lesen, ihm wäre lieber, er wäre im Lesen gut … und so weiter. Er redete, wie er es sich in der Nacht vorgenommen und im Stillen vorgesagt hatte. Auch wenn es Schleim war, was er da redete, genau so hatte er es sich vorgenommen, das war Berechnung. Er kannte Emils Mutter, er wusste, dass sie ihn wegen seiner Gabe, gut rechnen zu können, bewunderte, aber dass sie ihn auch beneidete, weil ihr Emil genau in diesem Fach schwach war. Also hatte er sich ausgerechnet, dass es ihr guttun würde, wenn er spielte, als beneide er seinerseits den Emil wegen seiner Gabe, gut lesen zu können.

»Ich wollte den Emil fragen, ob er mir das Lesebuch bis morgen borgt.«

Was von der Familie des Lorenz erzählt wurde, war nicht vom Besten, genau das Gegenteil. Manche glaubten es, manche glaubten es nicht. Manche glaubten es, und trotzdem war ihnen zu viel, wie der Pfarrer sich aufgeführt hatte, nämlich als wäre er der Herr über dem Herrgott. Die Kinder von der Bagage besuchten die Schule, grad, wenn sie wollten, grad, wenn es ihnen passte. Das war zu kritisieren, ja. Die Maria kümmerte sich um so gut wie gar nichts. Man sah sie auch nie mehr im Dorf. Das war Hochmut. Emils Vater wies immer wieder seine Frau zurecht, sie solle sich mit ihrer Fantasie zurückhalten, was wisse sie denn schon, und nur weil die Mutter von der Bagage besser aussehe als alle, und zwar wirklich alle, sei das noch kein Grund zur Bosheit. Aber Grund, über sie zu reden, dürfe es doch wohl sein, hielt ihm die Frau entgegen. Das Kreuz vom Haus abmontiert aber hätte sie auch nicht.

»Warte«, sagte die Frau zu Lorenz.

Er war wieder nicht beim Namen genannt worden und wurde nicht ins Haus gebeten, was er als eine weitere Unhöflichkeit empfand. Als eine Gemeinheit. Die Tür wurde vor seiner Nase zugemacht. So sehr schneite es, dass in den wenigen Minuten, seit er die Mütze vom Kopf genommen hatte, auf seinem Haar ein weißer Pelz lag. Nicht einmal einen Bettler hätte man so stehen lassen. Er fror, schlug mit den Schuhen gegeneinander. Emil streckte den Kopf zur Tür heraus und gab ihm das Buch und einen Apfel dazu. Der Hund, ein heller, drückte die Schnauze zwischen Emils Knie und dem Türpfosten nach draußen, er ließ sich von Lorenz streicheln, ein zahmer Hund, der zu nichts nütze war. Lorenz steckte das Buch über seinem Bauch in den Gürtel und zog den Strickpullover drüber und stampfte davon.

Er ging seinen Weg. Wenn sie mir nachschauen, werden sie sehen, dass ich den normalen Weg gehe. Mitten auf dem Gebahnten. Seine Fußspuren waren schon nicht mehr zu sehen, schon waren sie zugeschneit. Als er außer Sichtweite war, das war, bevor er zu den Häusern kam, die nun ins Dorf hinein dichter beieinanderstanden, kletterte er auf den Zaun neben dem Weg. Der war kaum zu sehen, weil er unter dem Schneeberg verschwand, den der Pflug aufgeschüttet hatte. Er sprang vom Zaun in den Schnee auf der anderen Seite, versank darin bis zur Brust. Er kämpfte sich über das Feld hinauf zum Wald, im Sommer hätte er dafür keine fünf Minuten gebraucht, jetzt eine gute Viertelstunde. Auf allen vieren kroch er das letzte steile Stück in den Wald hinein. Der war hier dicht, nur wenig Schnee lag zwischen den Stämmen. Er musste verschnaufen, kniete auf den Boden, klopfte sich den Schnee ab, schüttelte die Mütze aus und die Handschuhe. Dann ging er durch den Wald zurück zum Haus, in dem Emil und seine Familie wohnten. Der Stall und die Scheune waren hinten hinaus angebaut. In der Stube konnte man weder sehen noch hören, was im Stall vor sich ging oder in der Scheune.

Vom Waldrand bis zum Stall waren es nicht mehr als zehn Meter. Aber durch eine Senke, in der sich der Schnee sammelte. Nach dem ersten Schritt rutschte Lorenz aus und versank ganz und gar. Als er sich aufrichtete, war er immer noch unter der Schneedecke. Einen Augenblick hatte er Angst, Panik sogar, er könnte ersticken. Er ruderte mit den Armen, als würde er schwimmen. Der Schnee drang zwischen Mütze und Kragen, sein Gesicht glühte vor Kälte, er ruderte weiter, schlug um sich, hielt die Luft an, schließlich ragte der Kopf aus dem Schnee. Niemals werde ich hier wieder zurückkönnen, dachte er. Er kämpfte sich weiter, bis er die Scheune erreichte. Unter dem Vordach putzte er sich den Schnee von den Kleidern und der Mütze und den Handschuhen. Erschöpft war er, seine Beine fühlten sich taub an, oberhalb der Füße, als hätte er gar keine mehr. Und die Lungen taten ihm weh. Er hätte fluchen wollen, aber er traute sich nicht, er kannte sich nämlich, wenn er einmal mit dem Fluchen anfing, dann ging es mit ihm durch.

Da hörte er über sich: »Zi-zi-zizizi! Zi-zi-zizizi!«

Ein Buchfink saß auf dem niederen Stalldach. Er sah ihn nicht. Er kannte alle Vögel an ihrem Ruf. »Flieg heim, du erfrierst sonst!«, sagte er leise.

Ein Eichhörnchen hüpfte vor seine Füße, aus der Scheune heraus.

»Geh heim, du erfrierst sonst«, sagte er auch zu diesem Tier.

Der Hang vom Wald herunter schimmerte durch den fallenden Schnee. Keine Spur war zu sehen. Er hatte nicht damit gerechnet, dass er unter der Schneedecke würde schwimmen müssen, jetzt dachte er, das war gut. Niemand würde eine Spur entdecken. Niemand würde ihn verdächtigen. So hatte sich mein Onkel Lorenz die Sache zurechtgelegt, als er in der vorangegangenen Nacht neben seinem Bruder Heinrich im Bett gelegen war: Wenn ich zu Emil gehe, ganz offiziell, und seiner Mutter schöntue, dann wird niemand auf die Idee kommen, der Moosbrugger Lorenz war der Dieb. Weil niemand jemandem so eine Frechheit zutraut. Nicht einmal einem von der Bagage traut man so eine Frechheit zu. Wenn ich aber nichts tue, wenn die einfach nur merken, es ist bei ihnen gestohlen worden, dann werden sie als Erstes denken, das war einer von der Bagage, und zwar der Lorenz. Sogar wenn ich es nicht gewesen wäre, würden sie das denken. Das mit dem Lesebuch war ein Ablenkungsmanöver. Nie lässt sich einer leichter ablenken, als wenn man ihm schmeichelt. Auf diesen Gedanken war mein Onkel Lorenz stolz. Darüber habe er, erzählte mir meine Tante Kathe, noch bis zu seinem Tod lachen können.

Er brach in die Scheune ein und weiter in den Stall und schlich vom Stall in den Keller des Hauses. Dort hingen Speckseiten von der Decke herunter, dort waren Käseräder in Regalen gestapelt, die hier hatten vorgesorgt, die hatten halt etwas zum Vorsorgen, dort standen Gläser mit Eingemachtem, Birnen, Äpfel, eingemachtes Kraut, eingemachte Kürbisse, eingemachtes Fleisch, Zwetschgenkompott, Kirschenkompott. Alles, was er greifen konnte, steckte er in den Rucksack. Bis der so schwer war, dass er ihn kaum mehr lupfen konnte. Dann kroch er in dem Tunnel unter dem Schnee durch die Senke zum Wald hinauf, und im Wald oben ging er parallel zur Dorfstraße, schleppte den Rucksack, musste immer wieder innehalten und verschnaufen. Oben, wo der gebahnte Weg endete und der Steig zu ihrem Haus anschloss, trampelte er ein Loch in den Schnee und legte darin seine Beute ab. Dann stapfte er mit leerem Rucksack durch den Schnee in den Wald hinauf und auf dem gleichen Weg zurück, bis er wieder oberhalb von Emils Haus war.

Fünfmal in dieser Nacht stieg Lorenz ins Haus von Emils Eltern ein. Er räumte ihre Vorratskammer aus, nicht ein Glas mit Eingewecktem ließ er ihnen. Käse nahm er mit, Wurst, Brot. Und der Himmel schneite dazu und verwischte die Spuren. Bei seinem letzten Gang stopfte er drei Hühner in den Rucksack. Für die hatte er schon Tage vorher im Stall hinter den Kühen einen Verschlag gebaut. Als er endlich fertig war, war es zwei Uhr am Morgen. Die Finger hätte er sich einklemmen können, er hätte es nicht gespürt. Er schaffte es nicht mehr in sein Bett. Er legte sich in der Küche auf den Fußboden. Mit allen seinen Kleidern. Die wattierte Mütze auf dem Kopf, den zwei Paar Handschuhen an den Händen, den Bergschuhen des Vaters an den Füßen.

Aber die Schule schwänzte er am nächsten Tag nicht. In der Früh gab er der Mutter keine Auskunft, wo er gewesen und was er getrieben habe. Und Maria fragte nicht weiter. Auf ihren Lorenz verließ sie sich. Alles, was er tat, tat er, damit es den Seinen besser ging. Er bat sie, sie möge das Lesebuch bügeln, es sei vernudelt und gehöre ihm nicht und er müsse es heute zurückgeben. Sie füllte glühende Kohlebrocken in das Plätteisen, legte ein Tuch über das Buch, hinterher sah es fast wie neu aus.

Nach der Schule kommandierte Lorenz seine Geschwister, dass sie ihm helfen sollten, die Sachen aus dem Schneeloch zu holen. Auch die Verstecke im Haus hatte sich Lorenz im Vorhinein ausgedacht. Falls doch einer auf die Idee käme, einer von der Bagage sei im Haus von Emils Eltern eingebrochen. Entweder kam niemand auf die Idee, oder aber, wenn doch, fürchtete man sich vor der Entschlossenheit der Bagage so sehr, dass man die Pappen hielt und wegschaute.

Meine Tante Kathe erzählte, ihr Bruder habe irgendwann einmal zu ihr gesagt, wie die Mama ihn an dem Tag damals angesehen habe, etwas Schöneres habe er in seinem ganzen Leben nicht erlebt. Dieser Tag sei der schönste Tag in seinem Leben gewesen. Und niemals sei die Mama schöner gewesen als an diesem Tag. Und er sei nie in seinem Leben glücklicher gewesen als an diesem Tag. Er lag den ganzen Nachmittag auf der Ofenbank und schlief. Ein Huhn hatte einen Flügel gebrochen, Maria köpfte und rupfte es und kochte daraus eine Suppe. Sie wickelte die Füße ihres schlafenden Sohnes in ein vorgewärmtes Tuch und deckte ihn zu. Am Abend gab es ein Festessen. Dem Lorenz konnte man nichts mehr beibringen, der wusste, wie man überlebte. Und ihm brauchte keiner zu kommen, keiner.

Im November 1918 war der Krieg zu Ende. Aber erst um Weihnachten kam Josef nach Hause. Der Bürgermeister war nicht mehr Bürgermeister. Es gab keinen Bürgermeister mehr. Wie es sich genau verhielt mit den staatlichen Zuständigkeiten, wusste im Dorf niemand. Alle waren dünn geworden. Die Soldaten, die zurückkamen, waren weiß geworden, dabei solche, die noch nicht einmal dreißig Jahre alt waren.

Josef holte sich den Bürgermeister.

»Was ist an dem Gerede dran?«, fragte er.

Josef war nicht weiß geworden, er trug einen schwarzen Bart bis zur Mitte der Brust und sah zum Fürchten aus. Augen, so hohl wie leere Eierbecher, in denen ein Knopf brannte, etwas, das man noch nie gesehen hatte. Er hatte die Kinder begrüßt und seine Frau nicht angesehen. Und die Margarethe nicht angesehen. Er hatte sich in den Brunnen gesetzt, auf dessen Rändern schon der Schnee lag, und hatte sich abgeschrubbt mit einer großen Bürste, die er mitgebracht hatte. Auch frische Sachen hatte er mitgebracht, zivile Sachen, ein kariertes, weiches Hemd, feiner Flanell, neu, eine Schnürlsamthose, ebenfalls neu mit einem eingezogenen braunen Ledergürtel, eine italienische Jacke mit Fischgrätmuster, auch neu. Alles neu. Eine Krawatte hatte er sich umgebunden, die passte zum karierten Hemd, als wären die beiden Sachen gemeinsam ausgesucht worden und von kundiger Hand. Auch der Rucksack war neu, nicht ein üblicher aus Leinen, einer aus Leder, aus weichem Leder. Wer ihm die Sachen gegeben hatte, wo er sie gekauft hatte und wenn, mit welchem Geld, das fragte keiner, und von sich aus sagte er es keinem. Wie ein neuer Mensch, so ging er ins Dorf hinunter und holte sich den Bürgermeister. »Was ist dran?«

»An was?«

»Du weißt genau, was ich meine. Das, warum der Pfarrer das Kreuz abmontiert hat. Das!«

»Was ist an was dran! Kannst du nur herumreden, Josef, und hast nicht einmal den Mut auszusprechen, was du meinst?«

»Dass der Balg nicht von mir ist. Das meine ich.«

»Wer sagt das?«

»Was ist dran?«

»Du willst etwas wissen«, sagte der ehemalige Bürgermeister, der nun nur noch Gottlieb Fink hieß. »Ich will auch etwas wissen. Wie sollen wir tun? Sollen wir uns gegenseitig Antwort geben oder nicht? Also, wer sagt das?«

»Es ist mir einer entgegengekommen, schon in Innsbruck, der hat es mir gesagt. Ich habe ihn nicht gekannt. Er hat gesagt, alle wissen es. Sogar er weiß es. Und er hat mit uns nichts zu tun. Und sogar er weiß es.«

»Und von wem soll die kleine Grete sein? Kannst du nicht einmal ihren Namen aussprechen? Sie tut dir nichts. Von wem soll sie sein?«

»Ich frag dich. Genau das frag ich dich, Bürgermeister.«

»Ich bin nicht mehr Bürgermeister. Ich bin Gottlieb Fink und sonst nichts.«

»Dann frag ich den Gottlieb Fink. Ist der Balg von mir?«

»Auch wenn du aus dem Krieg kommst, Josef, und auch wenn es so ist, dass der Krieg den Menschen nicht besser macht, sondern das Gegenteil davon, und auch wenn die Margarethe nur ein Kind ist und nicht mehr, so ist sie doch ein Mensch und hat einen Namen, und es wäre mir lieb, wenn du in meiner Gegenwart nicht Balg sagst, sondern ihren Namen. Sie heißt Margarethe und wird Grete genannt.«

So stelle ich mir vor – so möchte ich mir vorstellen –, dass Gottlieb Fink mit Josef Moosbrugger gesprochen hat. Tante Kathe hat alle ihre Geschwister überlebt, und bis nur noch sie übrig war, habe ich meine Nachforschungen vor mir hergeschoben. Dieses Wort würde ich übrigens nie gebraucht haben. Tante Kathe hat davon gesprochen – von »Nachforschungen«.

»Willst du mich besuchen, weil du deine Nachforschungen betreiben willst?«, hat sie mich am Telefon gefragt.

Und da sagte ich: »Ja. Ich will Nachforschungen betreiben. Es ist ja erlaubt, wissen zu wollen, woher man stammt.« Und ob ich sie besuchen kommen darf.

Wenn sie sich einmal dazu entschlossen hatte zu erzählen, dann tat sie es sehr lebhaft. Wirklich lebhaft. Ich meine das wörtlich. Sie tat, als ob die Leute, von denen sie erzählte, immer noch leben, und nicht nur das: als ob sie jetzt hier wären und jetzt hier ihre Gespräche führten, in ihrer Küche in der Südtirolersiedlung.

Ich fragte: »Was hat mein Großvater gesagt, als er aus dem Krieg zurückkam und die kleine Grete gesehen hat, meine Mutter?«

Und Tante Kathe: »Was er gesagt hat? Was wird er gesagt haben? Nichts hat er gesagt. Er ist ins Dorf hinunter und hat den Fink herausgeholt.«

»Und was hat er zum Fink gesagt?«

Und sie: »Was wird er zum Fink gesagt haben? Was ist an dem Gerede dran? Das wird er gesagt haben.«

»Und was hat der Fink gesagt?«

»Was wird der Fink gesagt haben? Er wird gesagt haben: An was für einem Gerede? Ich kann mir nichts anderes vorstellen, als dass er das gesagt hat. Und der Papa, was wird der gesagt haben? Er wird gesagt haben: Dass der Balg nicht von mir ist. Und der Fink wird gesagt haben: Sag nicht Balg zu dem Kind. Das Kind heißt Margarethe, Grete. Das, Josef, musst du wieder lernen, wenn du aus dem Krieg kommst. So wird der Fink geredet haben, ich kann mir nichts anderes vorstellen …«

Meine Tante Kathe spann dieses Gespräch zwischen Josef und Gottlieb Fink vor mir aus. Nicht, als wäre sie dabei gewesen. Sondern als würde es gerade jetzt stattfinden. Das war ihre Art. Das meine ich mit lebhaft.

Herausgekommen bei dem Gespräch ist eine große, eine wirklich große Lüge. Tante Kathe war sich sicher, so eine Lüge kann nicht geplant sein, die gibt der Teufel aus dem Stegreif ein.

Sie wisse nicht, was in den Gottlieb Fink gefahren ist, sagte Tante Kathe. Als es eine Zeit lang so hin- und hergegangen sei zwischen ihm und Josef, feindselig, Josef war feindselig, erstens war er zu dieser Zeit, knapp nach Ende des Krieges, gegenüber allem und jedem feindselig, so werden die meisten Soldaten gewesen sein, er aber war im Speziellen Gottlieb Fink gegenüber feindselig, weil er, falls die Gerüchte stimmten, nicht auf seine Frau aufgepasst hatte. Josef stellte den Mann also zur Rede, und zwar mit den schärfsten Worten – anders könne sie es sich nicht vorstellen, sagte Tante Kathe. Und Gottlieb Fink hat ihm geantwortet.

»Was denkst du dir, Josef«, sagte Gottlieb Fink, der bis zum Ende des Krieges der Bürgermeister gewesen war. »Was hast du dir gedacht? Du hast gedacht, ich gebe dem Gottlieb einen Befehl und der führt ihn aus. Ich habe nie ein Bitte von dir gehört, Josef, und nie ein Danke. Dafür ist sich der Herr zu gut.«

»Halt mir keinen Vortrag«, sagte Josef. »Ich will nur wissen, nur eines nämlich: Hat es einen Deutschen gegeben, der bei der Maria im Haus war? Hat es den gegeben?«

»Und nun kommt der Herr aus dem Krieg zurück«, fuhr Gottlieb Fink fort, als wäre er nicht unterbrochen worden, »und spielt gleich den Polizisten, der berechtigt ist, Verhöre abzuhalten. Und redet von einem Deutschen daher. Und meint damit, ich, der ich damals der Bürgermeister war, ich hätte es verabsäumt, nach dem Rechten zu sehen. Dass ich einen Deutschen hätte davon abhalten sollen, die Maria zu besuchen.«

»Hat er sie besucht?«

»Nein«, sagte der Bürgermeister. Das war die erste Lüge. Er wusste ja, dass der Mann aus Hannover oben im Haus gewesen war. Er hatte ihn ja selbst gesehen. Und er wiederholte: »Nein, der war nicht oben im Haus.«

»Das heißt, den Deutschen gibt es gar nicht?«

»Doch, den gibt es. Aber er war nicht bei Maria.«

»Der aber sei der Vater von dem Balg«, sagte Josef.

»Ich sag es noch einmal«, fuhr ihn da der Bürgermeister an, vielleicht hat er ihn sogar am Kragen von dem neuen Sakko gepackt, dem mit dem Fischgrätmuster, »das Kind heißt nicht Balg, sondern Margarethe, Grete. Und nein, der Deutsche ist nicht der Vater.«

»Wer denn?«

Und an dieser Stelle, meinte meine Tante Kathe, sei es in den Bürgermeister gefahren, anders könne sie es sich nicht vorstellen. Das war die große Lüge. Und sie könne sich nicht vorstellen, dass Gottlieb Fink sich vorgenommen habe, eine so große Lüge auszusprechen. Dass eben der Teufel sie ihm aus dem Stegreif heraus eingegeben habe.

Gottlieb Fink, der ehemalige Bürgermeister, sagte: »Das Kind ist von mir. Die Grete ist mein Kind. Die Margarethe ist meine Tochter.«

Und er hat gleich weitergeredet, hat sich Josef vom Leib gehalten und gleichzeitig gepackt, vielleicht jetzt tatsächlich am Kragen von dem feinen Sakko mit Fischgrätmuster. Und meine Tante Kathe, die sich ihr Leben lang nicht sicher war, ob es einen Gott gibt, war sich sicher, dass auch die folgenden Worte der Teufel dem Gottlieb Fink eingegeben hatte:

»Was denkst du dir denn, Josef? Anstatt du dich niederkniest am Heimatboden und dem Herrgott dankst, dass du diesen hundsverreckten Krieg überlebt hast, ohne dass dir ein Bein weg ist oder ein Arm oder ein Auge, kommst du aus Innsbruck angefahren, wo dir irgendein Hallodri einen Floh ins Ohr gesetzt hat, und klagst mich an. Frag ich dich denn, woher du diesen sauberen Janker hast? Und woher die sauberen Hosen und den Gürtel aus doppeltem Leder? Ja, ich habe für solche Dinge ein Auge. Du gibst mir deine schöne Frau in Obhut, gut. Was bin ich? Bin ich ein Stück aus Holz? Ich wüsste nicht, dass ich das bin. Ich bin ein Mensch und ein Mann dazu. Und deine Frau, die Maria, und ich warne dich, dass du ihr eine gibst, auch wenn es nur eine leichte ist, was ist die? Ist die ein Stück Holz? Eine Frau ist sie. Glaubst du denn, du selbstherrlicher Soldat, der du gerade einen Krieg verloren hast, so eine Frau ist nur für dich da? Nicht einmal anschauen dürfen soll man sie. Das glaubt er, der selbstherrliche Soldat, der gerade einen Krieg verloren hat. Ein Mann ist ein guter Mann, wenn er auf eine Frau aufpassen kann. Und ich kann das. Und du kannst es nicht. Auch wenn du jetzt sagst, das ist nicht deine Schuld, die Tatsache bleibt bestehen. Ich habe gegen jedes Gerede die Faust erhoben, jawohl, ich darf das in diesem Ton sagen. Ich habe deine Frau verteidigt, gegen Böswilligkeiten habe ich sie verteidigt und gegen den Hunger auch, das bitte ich dich nicht zu vergessen. Aber gegen den Mann in mir konnte ich sie nicht verteidigen. Und jetzt ist

Schluss, Josef! Geh heim und benimm dich wie ein Mann, der auf seine Familie aufpassen kann!«

So müsse es gewesen sein, sagte Tante Kathe, anders könne sie es sich nicht vorstellen.

Eine Zeit, bis Ostern vielleicht, aber vielleicht gar nicht so lange, schliefen Maria und Grete im Ehebett und Josef in der Küche auf der Ofenbank. Eine Zeit redete Josef nicht mit Maria. Seine Geschäfte wickelte er nicht mehr mit Gottlieb Fink ab. Dafür fuhr er öfter mit dem neuen Omnibus nach L. zu seinem Schwager. Nicht selten blieb er dort über Nacht. Bald schlief er wieder im Ehebett. Und er sagte auch nichts, wenn Grete bei ihnen war. Nur in der Mitte, im Gräbchen, sollte sie nicht liegen. Ihren Namen sprach er nicht aus. Nicht ein Mal. Und nie, nie sah er sie an. Und nie, nie richtete er das Wort an sie. Er tat, als wäre sie nicht anwesend in dem Haus. Keines der Geschwister traute sich, den Vater deswegen zur Rede zu stellen, auch Lorenz nicht. Katharina kümmerte sich um das Kind, aber meistens war es unter den Röcken seiner Mutter. Bald war Maria wieder schwanger. Sie brachte ein Mädchen zur Welt und nannte es Irma. Maria ging jetzt auch öfter wieder ins Dorf. Im Laden unterhielt sie sich mit Else und anderen Frauen, und niemand hätte einen Unterschied bemerkt zwischen ihr und den anderen. Das Kind hatte schwarze Augen, und alle sagten, es sehe der Mutter sehr ähnlich. Da schwieg Maria, weil sie dachte, sie wisse, was gesagt und was gedacht wird. Sie hatte Josef bei ihrem Leben und dem Leben ihrer Kinder geschworen, dass Grete sein Kind sei und es nicht anders sein könne, außer Gott habe an ihr nach der Mutter Maria eine zweite Schwangerschaft ohne Mann ausprobieren wollen. Er glaubte ihr nicht. Sie erzählte ihm alles. Dass ein Mann aus Hannover sie auf dem Markt in L. angesprochen habe, weil er eine Auskunft wollte. Sie habe mit ihm gesprochen und sei dabei beobachtet worden, und daraus sei das Gerücht geworden, das in der Kriegszeit einen so großen Schatten über das ganze Dorf gelegt hatte. Dass Gottlieb sie bedrängt hatte, erzählte sie, dass sie sich fast nicht von ihm hatte losreißen können, dass sie sich aber losgerissen habe. Von Lorenz erzählte sie nicht – dass er sie mit dem Gewehr verteidigt hatte, und auch nicht, dass er für die Familie gestohlen hatte. Sie sah, wie Lorenz sich vor seinem Vater fürchtete. Er fürchtet sich vor niemandem und nichts auf der Welt, dachte sie, nur vor seinem Vater.

Wieder wurde Maria schwanger, und diesmal war ihr übel, jeden Tag spie sie, und sie wurde mager, und beim Kämmen verlor sie Haare. Es war ein Bub. Der wurde Josef getauft. Das hatte sich sein Vater gewünscht. Gerufen hat ihn ein Leben lang jeder Sepp.

Maria, meine Großmutter, war zweiunddreißig Jahre alt und hatte sieben Kinder zur Welt gebracht.

Und dann wurde sie krank. Ihr Bauch quoll auf, man hörte sie schreien. Josef ließ nach dem Arzt telefonieren. Der stellte fest, sie habe den Blinddarm auf der falschen Seite. Maria starb. Vom ersten Schmerz weg nach einem Monat.

Ein Dutzend Monate später starb Josef. An einer Blutvergiftung. Er hatte sich beim Holzhacken verletzt. Am Ende, als er in seinem schwarzen Anzug auf der Ofenbank lag, nicht mehr aufstehen konnte und fieberte, war der Bürgermeister gekommen. In der Nacht seien, sagte er, die Geister auf ihn niedergefahren und hätten ihm angedroht, ihn bis zum fernen Tod ohne Unterlass zu quälen, Tag und Nacht, wenn er nicht die Wahrheit sage. Die Wahrheit sei, er habe nie etwas gehabt mit Maria, er hätte gerne gewollt, aber Maria habe ihn abgewehrt, nicht ein Fünkchen Hoffnung habe sie ihm gemacht, aber nicht ein Fünkchen, ihm nicht und auch dem Mann aus Hannover nicht, Maria sei die treueste Frau gewesen, die nach der Gottesmutter auf Erden gelebt habe, die Grete sei nichts anderes als sein, Josefs, Kind.

Ihr Vater, erzählte Tante Kathe, habe zugehört und genickt. Ob er es auch verstanden habe, das wisse sie nicht. Am nächsten Tag war er tot. Und sie, die Kinder waren allein: Heinrich neunzehn, Katharina achtzehn, Lorenz siebzehn, Walter dreizehn, Grete sieben, Irma drei, Sepp zwei.

Die Kinder saßen auf dem Ehebett, alle beieinander, zu ihren Füßen lag der Hund, auf Gretes Schoß schmeichelte die Katze, vor dem Fenster sammelten sich Vögel. Es war Frühling. Der Föhn duftete durch die Ritzen herein. Eine Blaumeise schabte mit dem Schnabel einen Spalt in den Ring aus Fett und Sonnenblumenkernen, Katharina hatte für die Amseln kleine Apfelstückchen ausgelegt, Rotkehlchen, Buchfink erstarrten vor Schreck, als ein Sperber anflog. Ein Eichelhäher pickte trockenen Riebel von der Veranda. Dann war es still.

»Wenn die Amsel singt …«, sagte Grete, redete aber nicht weiter, so als wäre ihr gerade etwas anderes eingefallen.

Walter und Grete waren die Hellen, die mit den feinen Haaren, unter den dunklen Geschwistern sahen sie aus wie zwei aus einer fremden Familie.

In den Wänden wohnten noch die Eltern, die Mutter noch im Bettgestell und der Matratze, ihr Geruch war in ihren abgelegten Kleidern. Die sollten so liegen gelassen werden, man hätte denken können, gleich kommt sie aus dem Schlafzimmer und kleidet sich an. Die neuen Kleider des Vaters, die nicht schwarzen, probierte Heinrich an, weil Katharina es ihm befahl, aber er fühlte sich darin nicht wohl. Am besten hätten sie Walter gepasst, dem waren sie aber noch zu groß. Ob ich das Tuch mit den Fransen von der Mama ausleihen darf, fragte Irma, es riecht nach ihr.

Lorenz hatte die Jäger beobachtet. War ihnen nachgeschlichen. Wann sie auf Jagd gingen, wollte er wissen. Und wie lange sie draußen waren. Er wollte mit Heinrich und Walter in der anderen Zeit jagen. Es ging ums pure Fressen. Das waren Tante Kathes Worte: »Damals ging es ums pure Fressen.«

Lorenz besaß den Fink-Stutzen. Er war sein Eigentum. Niemand hat das je bestritten. Lorenz würde schießen. Heinrich und Walter sollten ihm die Stücke vor den Lauf treiben. Er würde das Reh erlegen oder die Gams, Heinrich und Walter sollten die Beute in das große Tuch einschlagen und nach Hause tragen. Lorenz würde neben ihnen hergehen, den Stutzen nicht geschultert, sondern bereit in den Händen. Hasen würden auf jeden Fall auf den Tisch kommen. Welche Vögel man essen konnte, wusste auch Heinrich nicht so genau. Konnte man Amseln essen? Die wären am leichtesten zu erlegen gewesen. Die setzten sich vor einen ins Gras und schauten ins Loch vom Gewehr. Raubvögel konnte man nicht essen, das war klar. Spatzen gaben zu wenig her. Tauben gab es hier nicht. Lorenz hatte den Traum von einem Hirsch, ein paarmal schon war ihm einer in Schussweite gekommen. Das

Geweih hätte er für sich behalten und hätte es sein Leben lang mit sich herumschleppen wollen, wohin ihn das Leben auch führte, und hätte er gewusst, dass es ihn in einen zweiten Krieg nach Russland führte, wo er desertierte und eine zweite Familie gründete, er hätte gesagt: Das Geweih kommt mit! Aber mein Onkel Lorenz hat nie einen Hirsch geschossen.

Auch Jäger waren ihm in Schussweite gekommen. Sie hatten gerufen und die Arme geschwenkt.

»Du von der Bagage!«, riefen sie. »Du von der Bagage! Hier schießen wir!«

Zum ersten Mal war er beim Hausnamen gerufen worden. Das hieß: Sie hatten Respekt. Und: Sie erwarteten, dass er sich entsprechend verhielte. Dass er sich des Respekts würdig erweise. Wäre er davongeschlichen, hätten sie ihm den Respekt entzogen. Er hob den Stutzen, legte die Wange an den Kolben und zielte auf sie.

»Bagage!«, riefen sie. »Heute schießen wir!«

Das konnte nur heißen: Morgen dürft ihr. Was sollte es sonst heißen? Und das hieß: Wir sind gleich, wir sind nicht mehr, ihr seid nicht mehr, wir sind auf gleicher Höhe, nur ihr steht halt auf der einen Seite und wir auf der anderen.

»Nimm das Gewehr ab!«, riefen sie.

Sein Herz klopfte, und er hoffte, die Jäger könnten nicht sehen, wie sein Janker über dem Herz zuckte. Er hielt stand, nahm das Gewehr nicht ab. Da drehten sie um. Und gingen. Das konnte nur heißen: Heute schießt ihr, morgen schießen wir. Also umgekehrt. Also hatte er gewonnen. Er war nach Hause gegangen, langsam, mit einem Schritt, als wäre er zwanzig Jahre älter oder hundert Jahre älter, ein Berggeist, der unverhofft im Wald auftaucht, den die Jäger respektieren und dem sie für den Tag die Jagd überlassen. Vom Brunnen aus hatte er Heinrich und Walter gerufen. Und von diesem Tag an hieß es unter den Jägern: Wenn die Bagage im Wald ist, geht nach Hause! Habt Acht!

Keiner im Dorf, der den Lorenz nicht bewundert hätte. Keiner im Dorf, der die Bagage nicht bewundert hätte. Die Bagage waren sie erst richtig geworden nach dem Tod ihrer Eltern. Niemand hatte Zweifel, dass Lorenz den Mann erschießen würde, der ihn daran hindern wollte, für seine Geschwister zu sorgen. Aber auch niemand hatte Zweifel: Früher oder später würden sie im Gefängnis landen. Alle miteinander, die ganze Bagage. Weil: Abschaum waren sie. Bei aller Bewunderung: Abschaum waren sie. Die frommen Frauen rechneten sie dem von unter der Erde zu. Würde Gott diese Kinder lieben, hätte er ihnen nicht so früh Vater und Mutter genommen.

Die schwarzäugige Irma drehte sich vor dem Spiegel und fand sich sehr schön. Sie war mager und sah mehr dem Vater ähnlich, auch ihr weißes Gesicht war wie seines. Sie hatte Großes mit sich vor. Sie wollte einen reichen Mann heiraten und dann der Familie ein besseres Leben gönnen. Es würde nicht so kommen. Sie wird sich mit siebzehn in den Lehrer verlieben, der verheiratet war, sie wird ihn sich in ihr Bett träumen, die große Träumerin. Noch als Katharina und Grete längst einen Mann hatten, war sie noch ledig und wartete darauf, dass die Frau des Lehrers stirbt. Einige Männer waren hinter ihr her, alle ließ sie abblitzen bis auf einen Theologiestudenten, dem sie das Pfarrerseinwollen ausredete. Den nahm sie, und jeder wunderte sich, dass es gerade dem gelang, die temperamentvolle Irma zu dominieren. Sie wurde zaghaft und schaute schließlich zu ihm auf. Er war laut, überlaut, konnte reden, sodass zwei Häuser weiter jeder jedes Wort verstand, und es waren grausige Worte dabei, und wenn er lachte, schepperte das Geschirr im Kasten. Erzieher in einem Heim für vaterlose Kinder war er, ein Experte im Gottgefälligen. Er nahm es mit nichts genau, bald hatte er eine zweite Frau und lebte abwechselnd bei Irma und bei der anderen. Eine einsame alte Nachbarin vererbte ihm ihr Haus. Weil er ein so guter Mensch sei. Ein sehr lauter, sehr derber, aber sehr guter Mensch. Der mit Gott persönlich redete. Darum die laute Stimme. Er nahm den Besitz, und Irma schämte sich, wenn sie die zornigen Erben auf der Straße traf. Der laute Mann wurde blind und lernte das Masseurhandwerk und wurde geliebt von den Frauen, die er im Keller massierte.

Irgendwann, als sie noch die Bagage waren und hinten im Tal lebten, bevor das Haus versteigert wurde, hatte Irma die Idee gehabt, die Familie, die ja nur noch aus Geschwistern bestand, Heinrich, Katharina, Lorenz, Walter, Grete, sie selbst und Seppele, könnte nach Amerika auswandern, das war in der Zeit gewesen, als sie gar nichts mehr hatten. Sie hatte gelesen, in North Dakota werden Leute gesucht, man bekomme gratis Land und gratis Holz, um ein Haus zu bauen. Ihre Geschwister wollten nicht, und allein war sie zu allein. Als sie dann den lauten Mann hatte, waren die Flausen weg.

Oft waren die Mädchen, als sie noch die Bagage waren, hinten im Tal auf der Bank vor dem Haus gesessen und hatten dreistimmig gesungen, so schön, dass dem Postadjunkt die Tränen kamen. Seit es Maria nicht mehr gab, war er niedergeschlagen, er hat den Tod dieser schönen Frau nicht verkraftet. Oft ging er bei Dunkelheit auf ihr Grab und brachte Blumen oder Zweige. Er saß am Waldrand und hörte ihren Mädchen beim Singen zu, träumte sich in die Familie hinein und erzählte am Grab, wie schön Katharina, Margarethe und Irma singen können. Zu den Feiertagen legte er kleine Gaben vor ihre Tür. Sie sollten nicht wissen, von wem sie waren. Aber sie wussten es. Einmal fiel ihm Irma um den Hals, als bei den Gaben ein Armband lag. Es war in ein Papier eingeschlagen, darauf stand ihr Name. Irma war ihm die Schönste, seit es Maria nicht mehr gab. So schön wie ihre Mutter aber war sie nicht. Keine Frau auf Erden wird je so schön sein wie Maria Moosbrugger.

Und mein Onkel Sepp? – Als der kleine Josef geboren wurde, war sein Vater glücklich und trug ihn im Haus auf und ab. Er würde in seine Stapfen treten, er würde vollenden, was der Vater begonnen hatte. Aber leider. So würde es nicht kommen. Was hatte der Vater begonnen? Josef, der zuerst Seppele, dann Sepp genannt wurde, war ein schwacher Mann. Schön wie ein Mädchen. Er interessierte sich wenig für Frauen. War seinem Bruder Walter, dem Frauenheld, eine leid, gab er sie an Josef ab. Die Prostituierte von der Rheinbrücke blieb ihm. Glück brachte sie ihm keines. Ein Mädchen gebar sie ihm – Michaela mit den Goldlocken –, sie versuchte, aus dem Fenster zu springen, als sie dreizehn war. Sepp ließ sich scheiden und gab das Mädchen zu seiner Schwester Katharina. Die wollte dafür sorgen, dass Michaela den rechten Weg einschlägt und nicht so wird wie ihre Mutter. Michaela aber verfiel dem Heroin, erkrankte an Aids und starb. Es gibt einen

Schulfilm über Aids, da spielt sie die Hauptrolle. Er wird zur Abschreckung vorgeführt.

Als mein Onkel Sepp im Sterben lag, besuchte ich ihn. Er war beinahe durchsichtig.

Im Kunsthistorischen Museum in Wien sah ich mir *Die Kinderspiele* von Pieter Bruegel dem Älteren an, und da waren sie alle, die ganze Bagage, sie tollten über das Bild hinweg, lachten und greinten und johlten sich zu oder tuschelten, und ich stand davor und musste lachen.

»Versuch, eine Pirouette zu drehen!«, sagt Irma zu Grete, Grete aber will lieber ihre Beine im Wasser baumeln lassen.

Walter baut eine Sandburg fürs Seppele, er selber fühlt sich für dieses Spiel zu alt, er will lieber einen Hut auf dem Stock balancieren.

»Versuch einen Ringkampf mit mir«, stachelt Lorenz seinen Bruder Heinrich auf, der gerade von den Tieren kommt.

»Wir können nachher Murmeln spielen«, schlägt Heinrich stattdessen vor.

»Aber erst, wenn du gewaschen bist«, sagt Lorenz.

In der Schule wollen die Buben *Bank drücken*, das heißt, einer muss von der Bank heruntergedrückt werden, das ist dann der Wehleidige, der Schwache, den man auslacht.

Schwan kleb an spielen die Schulmädchen. Grete steht am Birnbaum, die Mädchen zupfen an ihren Haaren und rufen: »Schwan kleb an!« Da weint sie und will nicht spielen.

»Schauen wir, wer weiter brunzen kann«, sagt Walter zu Lorenz, und Walter gewinnt.

Wer nimmt den Seppel huckepack? Wer hat den Ball?

»Kommt, sammeln wir Zweige fürs Feuer!«, ruft Katharina.

»Wenn wir schon nicht in die Kirche gehen, könnten wir zu Hause Prozession spielen«, sagt Irma. »Grete soll Blumen streuen, Katharina das Kreuz von der Wand nehmen und vorausmarschieren, die Buben sollen das Seppele tragen und so tun, als wär er das Jesuskind.«

»Da schieße ich lieber auf das Bild an der Wand, schieße ich lieber auf das Auge im Gesicht von dem Bild!«, spottet Lorenz.

»Das darfst du nicht, auf dem Bild ist die Muttergottes«, sagt Seppele, der einen blauen Umhang trägt und eine Frau sein will.

»Kommt, gehen wir ins Bett«, sagt Katharina. »Es ist schon nach Mitternacht.«

Beinahe alle, über die ich schreibe, liegen unter der Erde. Selber bin ich alt. Meine Kinder leben, bis auf Paula, die nur einundzwanzig wurde. Oft gehe ich an ihr Grab und sage dann, siehst du, ich besuche dich viel öfter, als wenn du noch leben würdest. Da hätte ich mich geniert, dich so oft zu besuchen. Du hättst die Tür geöffnet und gesagt: Mama, du schon wieder.